Le mieux-être

EN cinq

minutes

D1515129

Le mieux-être

EN

cinq
minutes

Un guide pour dynamiser ou maximiser votre journée

jane alexander

TRÉCARRÉ

Une idée originale de Frank Chambers

Conception   Phil Gamble
Photographie   Gus Filgate, Dominic Blackmore,
                    Paul Forrester, Iain Bagwell
Illustration   Mark Preston

Données de catalogage avant publication (Canada)

Alexander, Jane, 1960-

  Le mieux-être en cinq minutes

  Traduction de : The five minute healer.
  Comprend des réf. bibliogr. et un index.

  ISBN 2-89249-928-3

  1. Autothérapie – Guides, manuels, etc. 2. Habitudes sanitaires – Guides,
manuels, etc. 3. Bien-être – Guides, manuels, etc. 4. Gestion du stress – Guides,
manuels, etc. 5. Qualité de la vie. – Guides, manuels, etc. I. Titre.

RA776.95.A4414 2001   613   C00-941572-6

L'édition originale de cet ouvrage a paru en anglais sous le titre :
*The five minute healer – a busy person's guide to vitality and energy all day, every
day*

Publié au Royaume-Uni par Gaia Books Limited

© Copyright : Gaia Books Limited, Londres, 1999
© Copyright pour le texte : Jane Alexander, 1999

Traduction : Ginette Hubert et Lucie Legault pour les
Traductions Jean-Guy Robert enr., Sherbrooke

Mise en pages : Ateliers de typographie Collette inc.

© Éditions du Trécarré, 2001, pour l'édition française

Sauf pour de courtes citations dans une critique de journal ou de magazine, il est
interdit, sans la permission écrite des détenteurs du copyright, de reproduire ou
d'utiliser cet ouvrage, sous quelque forme que ce soit, par des moyens
mécaniques, électroniques ou autres, connus présentement ou qui seraient
inventés, y compris la xérographie, la photocopie ou l'enregistrement, de même
que les systèmes informatiques.

ISBN 2-89249-928-3

Nous reconnaissons l'aide financière du gouvernement du Canada par l'entremise
du Programme d'aide au développement de l'industrie de l'édition (PADIÉ) pour
nos activités d'édition ; du Conseil des arts du Canada ; de la Sodec ; du gouvernement du Québec par l'entremise du Programme de crédit d'impôt pour l'édition
de livres (gestion Sodec).

Dépôt légal 2001
Bibliothèque nationale du Québec

Éditions du Trécarré
Outremont (Québec), Canada

Imprimé à Singapour

IMPORTANT
*L'utilisation des techniques
illustrées dans ce livre est
laissée à l'entière discrétion
du lecteur. Toujours observer
les mises en garde et consulter
un médecin en cas de doute
sur des questions d'ordre
médical.*

REMERCIEMENTS
Toutes les photographies et les
illustrations sont de Gus Filgate,
Dominic Blackmore, Paul Forrester,
Iain Bagwell et Mark Preston, sauf
celles des pages suivantes :
DigitalVision : p. 2, 8, 40, 41, 42, 43,
51, 112, 120, 142 ; ImageSource : p.
53, 80, 81, 82, 83 ; PhotoDisc : p. 45 ;
Tony Stone Images : p. 54, 66, 104,
117, 128, 130, 134, 137, 144, 147.

Gaia Books tient à remercier Lynn
Bresler, Gwen Rigby, Dee Jones, Kate
Smith, Suzi Langhorne, Dianne Rhule,
Zoe Calvert, Mark Bowden, Patrick
Jones, Kentaro Suyama, Penny
Markham et Louise Pickford.

Comment utiliser ce livre

Qui ne veut pas être plus énergique ? Qui n'aimerait pas se sentir perspicace et lucide, calme et concentré toute la journée ? La solution se trouve dans les pages qui suivent. Les techniques simples présentées ici sont tirées des thérapies naturelles. En équilibrant votre énergie ou force vitale, elles vous aideront à maintenir un niveau optimal de santé et de vitalité. Vous pourrez, grâce à elles, traverser sans difficulté stress, tensions et exigences de la vie quotidienne.

Vous n'avez pas le temps de chercher la thérapie la mieux adaptée à vos besoins ? Vous ne pouvez vous offrir le luxe de consacrer des heures à des rituels ésotériques, à de longs exercices ou à des régimes compliqués ? *Le mieux-être en cinq minutes* a fait tout le travail pour vous. Il vous épargne la recherche, les décisions et les dilemmes, et vous propose des solutions simples et rapides… qui fonctionnent vraiment.

Structuré autour d'une journée de travail type, il vous suggère, dans chaque chapitre, des techniques naturelles et efficaces qui vous permettront de demeurer en santé et débordant d'énergie et de vitalité. Vous devez affronter la circulation à l'heure de pointe ou animer une réunion difficile ? Une solution éclair vous est suggérée. Vous devez rapidement refaire le plein d'énergie ou, au contraire, vous souhaitez vous détendre après une longue journée stressante ? *Le mieux-être en cinq minutes* a une suggestion toute prête. Pour la personne occupée, ce livre représente une trousse de survie complète au stress de la vie moderne.

À vous de décider comment vous l'utiliserez. *Le mieux-être en cinq minutes* peut être un livre de consultation rapide que vous feuilletez lorsque vous devez régler un problème ponctuel, comme une rapide diminution d'énergie ou une brusque élévation du niveau de stress. Cependant, si vous voulez pousser les choses plus loin, il peut être un guide de vie complet – le canevas de base d'un mode de vie sain. Si vous voulez réellement recentrer votre vie, déborder d'énergie et mettre votre corps en harmonie avec votre esprit et votre âme, mettez en pratique le plus grand nombre de suggestions possible. Plus vous en essaierez, mieux vous vous sentirez !

Espérons que vous trouverez les techniques et les exercices suggérés aussi amusants qu'efficaces. L'acquisition de saines habitudes de vie passe par le plaisir. Personne ne veut devenir esclave de sa santé – la vie est là pour qu'on en profite ! Je vous souhaite donc une bonne santé, beaucoup d'énergie et une vie extraordinaire.

Jane Alexander

Table des matières

Première partie – Mise en train

Les quelques minutes qui suivent le réveil donnent le ton au reste de la journée. Partez du bon pied et vous arriverez à bon port sans encombre.

CHAPITRE UN

Partir du bon pied

Bonjour! Un nouveau jour… un nouveau départ – à vous d'en profiter au maximum. La façon d'enclencher chacune de vos journées est cruciale. Votre humeur et votre état d'esprit dans les minutes qui suivent le réveil donnent le ton à tout ce qui suit. S'extirper du lit à reculons en appréhendant la journée qui s'annonce, c'est se préparer des moments difficiles. C'est pourquoi vous devez amorcer chaque jour comme vous voulez le poursuivre – alerte, enthousiaste, débordant d'énergie et rempli de joie.

Bien commencer la journée comporte deux éléments essentiels. Premièrement, de bons mouvements. Après une longue nuit d'inactivité, le corps doit être mis en branle au moyen d'une séance d'échauffement qui, telle une décharge électrique, restaurera la circulation de l'énergie vitale ou *Qi*.

La routine de mise en train débute donc par des étirements, afin d'arracher votre corps à l'inertie. Vous pourrez ensuite finir de vous réveiller à l'aide d'un exercice de yoga, comme le salut au soleil, ou en faisant des sauts sur un mini-trampoline. Après une vivifiante séance de brossage de peau et une douche massage, vous sentirez des frissons d'énergie parcourir votre colonne vertébrale. Terminez ensuite votre routine de réveil avec quelques exercices de *Qi Gong* pour avoir les pieds bien sur terre et envisager la journée avec calme et confiance.

Deuxièmement, il faut être dans le bon état d'esprit. Quelle sorte de journée voulez-vous avoir ? Devrez-vous être calme et concentré ou faire montre de puissance et d'autorité ? Prévoyez-vous des réunions éprouvantes ou des décisions difficiles à prendre ? Vous trouverez dans ce chapitre des façons de bien préparer votre esprit à tout ce qui s'annonce.

Croyez-le ou non, vos vêtements peuvent également vous aider à atteindre vos objectifs. Suivez les conseils donnés sur le choix des couleurs pour augmenter vos chances de succès.

Accueillez la journée avec un sourire et des étirements – aussi difficile que cela puisse être. Vous seul pouvez faire qu'elle soit telle que vous le désirez. Comme disait Horace : « Mets à profit le jour présent. »

Un nouveau jour… un nouveau départ

Vous venez à peine d'ouvrir l'œil. Saluez le début de cette toute nouvelle journée. Ce que vous ferez dans les cinq prochaines minutes peut se répercuter sur toute votre journée. Alors, commencez-la comme vous souhaitez qu'elle se poursuive.

RÉVEIL POUR LE CORPS ET L'ESPRIT

1 *Ne vous précipitez pas hors du lit sitôt l'œil ouvert – prenez d'abord conscience de votre corps. Comment vous sentez-vous ?*

2 *Étirez-vous : pliez lentement les bras au-dessus de la tête et poussez les pieds vers l'extrémité du lit.*

3 *Remontez les genoux jusqu'à la poitrine puis laissez-les tomber doucement sur un côté. Tournez lentement la tête et les bras dans la direction opposée. Vous entendrez peut-être un léger craquement dans vos vertèbres. Répétez l'exercice de l'autre côté.*

4 *Assoyez-vous au bord du lit. Très lentement, descendez l'oreille droite vers l'épaule droite puis l'oreille gauche vers l'épaule gauche. Répétez cinq fois.*

5 *Maintenant, levez-vous. Sentez la puissance tranquille de la terre s'infiltrer en vous par la plante de vos pieds. Levez les bras et imaginez que le soleil entre dans votre corps par le sommet de votre tête et vous inonde de confiance et d'optimisme.*

6 *Abaissez les bras à la hauteur de la taille et balancez-les doucement d'un côté et de l'autre, en effectuant de légères torsions du haut du corps. Visualisez-vous en train de devenir assez souple pour faire face à tout ce que la journée vous réserve.*

7 *Joignez les mains, fermez les yeux et formulez votre objectif pour la journée, quelque chose comme : « Je ferai preuve de vision, de franchise et d'amabilité au travail. » Choisissez celui qui a le plus de sens pour vous.*

NOTES
★ *Ne vous étirez pas si vous avez froid en vous réveillant – vous devez commencer par réchauffer vos muscles.*
★ *Demandez l'avis de votre médecin avant de faire cet exercice si vous avez des problèmes de cou ou de dos.*

Sortir de l'inertie

Secouez la torpeur en transformant votre douche matinale en cure hydromassante. Le brossage de peau est une technique très simple mais particulièrement efficace pour refaire le plein d'énergie et améliorer la santé. Il stimule le système lymphatique (composante essentielle du système immunitaire) et contribue à l'évacuation des toxines. On dit aussi qu'il combat la cellulite. Ce qui est certain, c'est qu'un brossage vigoureux donne à la peau un éclat propre et sain. Une douche vivifiante et quelques formules positives compléteront votre préparation pour la journée.

BROSSAGE DE PEAU

1 *Utilisez une brosse à long manche faite de fibres de soie naturelle.*

2 *Le brossage doit être fait sur la peau sèche, avant la douche. Frottez tout le corps pendant au moins cinq minutes, jusqu'à ce que votre peau devienne rougeâtre.*

3 *Commencez par le dessus des pieds, les orteils et la plante des pieds. Brossez ensuite les jambes, devant et derrière, avec de longs mouvements fluides. Brossez toujours en direction de l'aine (site d'importants ganglions lymphatiques).*

4 *Brossez ensuite les fesses et le bas du dos, en allant vers les aisselles (également un site d'importants ganglions lymphatiques).*

5 *Brossez maintenant les deux côtés des bras, à partir de la main (y compris la paume) en allant vers les aisselles.*

6 *Frottez les épaules et la poitrine, en allant vers le cœur. Évitez de brosser les mamelons si vous êtes une femme. Brossez ensuite l'arrière du cou, en descendant.*

7 *Dans un mouvement circulaire, brossez l'abdomen en évitant les parties génitales. Brossez dans le sens des aiguilles d'une montre pour stimuler le côlon.*

Saluer une nouvelle journée

Le salut au soleil, ou salutation au soleil, est la façon idéale d'enclencher la journée. Cette routine de yoga bien connue masse les organes internes et, en étirant tous les muscles du corps, en accroît la souplesse.

COMMENT EXÉCUTER LE SALUT AU SOLEIL

Commencez par accomplir la routine au complet une fois et augmentez graduellement le nombre jusqu'à en faire 12 par séance. L'entraînement vous permettra d'enchaîner les positions en douceur. Vous trouverez peut-être utile d'enregistrer les directives.

10 *Revenez à la station debout, les gros orteils collés, et les bras le long du corps. Expirez en regardant devant vous et joignez les mains.*

1 *Debout, les pieds joints, les gros orteils se touchant, et les bras le long du corps. Rentrez le menton et regardez droit devant vous, les épaules détendues.*

9 *Expirez et revenez à la position 3. Levez les bras au-dessus de la tête, expirez et regardez vers le haut, comme à la position 2.*

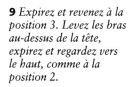

8 *Inspirez et reprenez la position 4, cette fois en allongeant la jambe gauche derrière vous.*

2 *Levez les bras au-dessus de la tête tout en prenant une lente et profonde inspiration. Quand vous finissez d'inspirer, joignez les paumes et regardez vos pouces.*

3 *Expirez en vous penchant vers l'avant et placez les mains au sol, de chaque côté des pieds. Touchez les genoux avec la tête (vous devrez peut-être plier légèrement les genoux au début).*

4 *Inspirez profondément et allongez la jambe droite derrière vous, en extension complète. Inclinez la tête vers l'arrière pour étirer le dos.*

5 *Expirez et allongez la jambe gauche avec la jambe droite. Soulevez-vous sur les orteils, en appui sur les mains, les bras bien droits et écartés à la largeur des épaules. La tête, le dos et les jambes doivent former une ligne droite. Respirez lentement et profondément.*

7 *Inspirez et soulevez-vous. Les bras doivent être en extension complète et les mains au sol, devant vous. Inclinez le corps vers l'arrière et regardez vers le haut. Expirez et reprenez la position 5 en passant par la position 6.*

6 *Expirez et laissez-vous descendre au sol. L'abdomen doit demeurer soulevé. Seuls les orteils, les genoux, les mains, la poitrine et le front sont en contact avec le sol.*

Prendre contact avec la terre

Pour avoir les pieds bien sur terre, la tête sur les épaules et les nerfs solides, essayez le *Qi Gong*. Simples en apparence, ces exercices agissent en profondeur : ils stimulent la concentration et la créativité, accroissent la vitalité et augmentent la capacité à faire face au stress.

ATTENTION
★ *Le Qi Gong est très puissant. Si vous avez un problème de poitrine, faites ces exercices avec prudence. Si vous avez des problèmes de tension artérielle ou des problèmes cardiaques, ne retenez pas votre respiration. Dans le doute, consultez toujours votre médecin.*

LA POSTURE DE DÉPART
Cette posture de base du *Qi Gong* sert également de position de départ pour d'autres exercices suggérés dans ce livre. Elle aligne tous les organes et vous fait prendre conscience de tout votre corps.

1 *Debout, les pieds écartés à la largeur des épaules. Équilibrez votre poids pour qu'il ne soit ni trop vers l'avant ni trop vers l'arrière, ce qui correspond à votre point d'équilibre naturel.*
2 *Sentez à quel point vos pieds sont détendus aux points de contact avec le sol – aux talons, aux orteils et le long des bords externes.*
3 *Fléchissez légèrement les genoux.*
4 *Détendez le bas du dos, l'estomac et les fesses.*
5 *Détendez et arrondissez légèrement les épaules, en creusant la poitrine.*

6 *Imaginez que votre tête est suspendue au plafond par les cheveux. Sentez-la flotter librement. Détendez maintenant la langue, la bouche et la mâchoire.*
7 *Conservez cette position, les bras pendant mollement le long du corps, pendant quelques minutes.*
8 *Focalisez votre esprit sur les cinq éléments. Pour la terre, imaginez la sensation de poids et d'enracinement ; pour l'eau, le relâchement et la fluidité ; pour l'air, la légèreté et la transparence ; pour le feu, l'étincelle et pour l'espace, visualisez l'espace dans chaque articulation, muscle et respiration ainsi que dans votre esprit.*
9 *Durant ces exercices, gardez l'esprit au repos en le ramenant vers votre posture.*

PIÉTINEMENT DE DRAGON

Cet exercice calme l'esprit et, s'il est exécuté tous les matins, il énergise et aide à se centrer en prévision de la journée qui commence. Prenez soin d'expirer lorsque vous vous soulevez et d'inspirer lorsque vous redescendez – il est très facile de faire le contraire et l'exercice est alors beaucoup moins efficace.

1 *Prenez la posture de départ (page 16).*

2 *Expirez et levez-vous lentement sur la pointe des pieds. Étirez votre corps vers le haut en gardant l'abdomen détendu. En même temps, étirez les bras vers le sol, les doigts pointés vers le bas.*
3 *Descendez les talons lentement en inspirant et en relaxant. Répétez la séquence au moins cinq fois.*

SOUTENIR LE CIEL

Cet exercice vous met en contact avec le ciel et la terre, combinant inspiration et enracinement.

1 *Prenez la posture de départ (page 16).*
2 *Inspirez et montez les mains en les faisant passer devant l'abdomen et la poitrine, les paumes tournées vers le corps. Au moment où elles passent devant la figure, retournez-les de façon que les paumes soient dirigées vers le ciel.*

3 *Étirez les bras en poussant vers le haut, comme si vous vouliez soutenir le ciel (à droite). En même temps, poussez vers le bas avec les pieds, comme si vous établissiez un contact étroit avec le sol. Maintenant, expirez et recommencez le cycle. Répétez une demi-douzaine de fois.*

4 *Cette fois, au lieu de pousser vers le bas, levez-vous lentement sur la pointe des pieds (à droite) et étirez complètement bras et jambes.*

Énergiser le corps

Si vous êtes vraiment à court de temps le matin, faites de l'exercice tout en regardant ou en écoutant les nouvelles ! Sauter sur un mini-trampoline est une façon simple et efficace de remettre votre corps en mouvement, d'accroître vos niveaux d'énergie et de vitalité et de commencer la journée sans stress.

ATTENTION
★ *Consultez un médecin dans les cas suivants : maladie cardiaque, somnolence, douleurs thoraciques, ostéoporose, arthrite ou douleur articulaire, descente d'utérus, décollement de rétine ou phlébite.*

ÉCHAUFFEMENT
Au centre du trampoline, les pieds écartés à la largeur des épaules, en posture *Qi Gong* de départ (page 16). Votre respiration doit être profonde et détendue.

Au début, sautez doucement, sans que vos pieds quittent le trampoline. Vos genoux doivent demeurer détendus. Commencez ensuite à marcher lentement. Lorsque vos pieds bougent régulièrement et en cadence, balancez les bras doucement, en projetant le bras gauche vers l'avant lorsque vous levez le talon droit, et vice versa.

SÉANCE D'AÉROBIC

Après cette séance d'échauffement, il est temps de passer à des exercices plus intenses afin de faire travailler les muscles et d'accélérer la fréquence cardiaque.

Chien tacheté

Sautez en faisant glisser, alternativement, un pied vers l'avant et l'autre vers l'arrière. Balancez les bras dans le sens contraire des jambes – la jambe gauche et le bras droit sont projetés vers l'avant en même temps. Le mouvement ressemble un peu à celui du ski de randonnée.

Sauts avec écart

Sautez en écartant les pieds un peu plus qu'à la largeur des épaules. En sautant, levez les bras horizontalement à la hauteur des épaules. Au saut suivant, rapprochez les pieds de façon que vos chevilles se touchent presque et redescendez les bras le long du corps. Répétez.

Sauts avec torsion
Les pieds sur le trampoline, faites de petits sauts accompagnés de torsions, en projetant les bras et les hanches dans des directions opposées – comme si vous dansiez le twist.

Sauts de ski
Sautez de part et d'autre du trampoline en gardant les pieds joints. Relevez les coudes comme si vous faisiez du ski et balancez les bras dans un mouvement de va-et-vient.

Jogging

Penchez-vous légèrement vers l'avant et passez de la marche au jogging. Quand vous avez trouvé le rythme qui vous convient, courez en levant les talons haut derrière vous et en balançant les bras.

ATTENTION

★ *Ne faites pas cet exercice après avoir mangé ni si vous souffrez d'un rhume ou d'une infection virale ou si vous êtes trop fatigué.*
★ *Ne sautez pas sur un trampoline avec des chaussures ou des chaussettes glissantes. Portez des chaussures de sport bien ajustées ou faites les exercices pieds nus.*

Élévations des genoux

Levez alternativement chacun des genoux devant vous en pointant les orteils vers le bas. Les bras levés sont descendus à la hauteur du genou à chaque élévation.

Arrêt progressif et étirement

Ramenez votre rythme cardiaque à la normale en marchant pendant quelques minutes, comme pendant la séance d'échauffement. Buvez beaucoup d'eau. Sauter sur un trampoline est un exercice exténuant.

Se préparer à une journée difficile

Il y a des jours que nous appréhendons tous. Cette technique tirée de la PNL (programmation neurolinguistique) peut transformer vos échecs d'hier en succès d'aujourd'hui.

TECHNIQUE DU « SWISH »

1 *Déterminez un comportement que vous voulez changer. Fermez les yeux et sélectionnez une image qui interpelle – par exemple, ce que vous voyez juste avant que se déclenche le comportement en question. Que ressentez-vous dans cet état ? Ce peut être une situation où vous vous sentez humilié ou insignifiant. Faites que ce que vous ressentez soit le plus désagréable possible.*

2 *Créez une image mentale de vous-même dans votre état idéal, quand vous débordez de confiance et d'énergie. À quoi ressemblez-vous ? Que ressentez-vous ? Un frisson d'énergie vous indiquera que vous avez trouvé la bonne image.*

3 *Imaginez que vous voyez l'image qui interpelle, celle qui est désagréable, sur grand écran – elle est immense, en couleurs et claire – quelle vision d'horreur !*

4 *Placez dans le coin inférieur gauche de l'écran l'image idéale de vous-même. Cette image est petite et en noir et blanc.*

5 *Maintenant, commencez à faire glisser la petite image sur la plus grande. Agrandissez-la rapidement, jusqu'à ce qu'elle remplisse tout l'écran et qu'elle recouvre complètement l'image négative. Plus elle s'agrandit, plus elle est vive, colorée et claire. L'image négative rétrécit dans un coin et devient petite et sombre.*

6 *Ouvrez les yeux, tapez des pieds et secouez vos membres. Faites disparaître l'image de votre esprit.*

7 *Répétez maintenant les étapes 4 et 5, cinq fois – le plus vite possible, en arrêtant et en vidant l'écran entre chaque substitution d'image.*

SE PROGRAMMER POUR LE SUCCÈS
Vous devriez avoir de plus en plus de difficulté à conserver l'image négative présente à votre esprit. En créant un modèle positif, vous vous programmez pour le succès. Renforcez votre confiance en utilisant la technique du « swish » juste avant que s'enclenche une situation difficile. Vous verrez une différence !

Être calme et centré

Essayez de trouver cinq minutes pour méditer tranquillement avant d'aller travailler. La méditation apaise l'esprit, combat le stress et vous prépare mentalement à la journée qui vous attend.

EXERCICE DE MÉDITATION

1 *Assis confortablement, fermez les yeux. Gardez la tête droite et les épaules détendues.*

2 *Respirez régulièrement et profondément, sans trop chercher à influencer votre respiration – contentez-vous d'en prendre conscience pendant quelques minutes.*

3 *Commencez ensuite votre mantra en émettant un profond « OH » venant de l'arrière de la gorge et de la bouche. Ouvrez la bouche de plus en plus grande au fur et à mesure que vous amenez le son dans la bouche et que vous le faites passer très progressivement à un « AH » un peu plus aigu. Finalement, fermez la bouche et dites « MMM ». Sentez le son vibrer sur vos lèvres.*

4 *Répétez deux fois – allez très lentement et essayez de produire le son le plus riche, le plus vibrant et le plus long possible.*

5 *Comment vous sentez-vous maintenant ? Voyez-vous une différence ? Percevez-vous une sensation de picotement d'énergie subtile, ou Qi, dans votre corps ou dans votre tête ?*

Méditez en gardant la tête droite, les épaules détendues et en respirant profondément et régulièrement.

S'habiller pour réussir

Les vêtements que nous portons au travail ont-ils une réelle importance ? Peuvent-ils faire la différence entre le succès et l'échec ? Selon les spécialistes de la chromothérapie, leur couleur peut avoir une incidence sur tout : notre humeur, notre assurance, la perception que les gens ont de nous. Harmonisez la couleur de ce que vous portez aux tâches à accomplir et faites de votre journée un succès.

LE COMPLET DE LA RÉUSSITE

Pour inspirer le respect et retenir l'attention des gens, portez le classique complet noir. Le noir stimule la confiance en soi et symbolise l'autorité. Ajoutez-lui toutefois des accessoires de couleur pour obtenir un impact maximal ; autrement, vous paraîtrez peut-être distant, inaccessible et intimidant. Bien sûr, ce peut être l'effet désiré, mais si vous visez vraiment le sommet, agrémentez votre complet noir d'accessoires rouges (à droite).

Vous aurez moins de succès avec les autres couleurs standards. Le gris suggère que vous êtes pondéré, calme et responsable, mais que vous n'êtes pas un joueur des ligues majeures.

En brun, vous paraîtrez plutôt figé et peu enclin au changement. C'est donc une couleur utile si vous vous sentez nerveux et inquiet, mais évitez-la si vous devez faire impression.

Vous aurez l'air sérieux dans un complet noir accentué d'une cravate ou d'une chemise dont la couleur s'harmonise avec votre personnalité. Voir les suggestions du tableau ci-contre.

POUR ÊTRE CRÉATIF – L'ORANGÉ
Si votre travail exige que vous soyez créatif, entourez-vous de teintes d'orangé. Couleur de la cordialité, de la vitalité et de la créativité, l'orangé dispose le cerveau aux idées originales, aux méthodes de travail novatrices. L'abricot, en particulier, favorise les idées créatives et avive la sensibilité artistique.

POUR CAPTER L'ATTENTION – LE ROUGE
Le rouge fait de vous le centre d'attention. C'est une couleur énergique et vibrante qui témoigne d'une grande confiance en soi. Portez du rouge pour faire une forte impression.

En rouge, vous vous sentirez plus audacieux. Si vous appréhendez une réunion ou une tâche, si vous manquez d'énergie ou êtes déprimé, le rouge vous donnera un coup de pouce. Pas nécessaire d'en être vêtu de pied en cap. Un simple foulard ou une cravate feront l'affaire.

POUR ÊTRE CALME – LE BLEU
Portez du bleu si vous avez besoin de calme et de concentration au travail. Comme le bleu est apaisant, portez cette couleur si vous prévoyez des disputes.

POUR ÊTRE CONFIANT – LE JAUNE
Couleur de l'amitié et de la communication, le jaune avive l'estime de soi. Utilisez-le (en petite quantité) pour stimuler la conversation et inviter au dialogue.

POUR ÊTRE FASCINANT – LE TURQUOISE
Le turquoise attire les gens vers vous et les dispose favorablement à votre égard. C'est une couleur utile à porter si vous présentez une communication ou une conférence.

POUR ÊTRE AIMABLE – LE ROSE
Couleur de l'amabilité, de la cordialité et de la générosité, le rose convient bien au personnel soignant. Portez du rose pour pacifier les esprits ou pour montrer que vous n'êtes pas menaçant.

CHAPITRE DEUX

Petits déjeuners revitalisants et cures éclair

On manque toujours de temps le matin. Prévoyez un moment, ne serait-ce que cinq minutes, pour avaler quelque chose de savoureux et d'énergisant qui vous mettra d'aplomb pour la journée.

Vous avez mis votre corps en branle avec des exercices. Vous devez maintenant lui fournir son premier carburant de la journée. Un bon petit déjeuner est indispensable si vous voulez que votre réserve d'énergie dure jusqu'au soir. Choisissez avec soin le contenu de ce repas de démarrage, mangez sans vous presser et partez travailler sans crainte : vous aurez amplement d'énergie pour toute la matinée.

Vous êtes de ceux qu'effraie l'idée d'un petit déjeuner copieux ? Pas de panique. Nous vous proposons dans ce chapitre une vaste sélection de boissons et d'aliments sains, nutritifs et, en plus, absolument délicieux !

Nous verrons également comment éliminer les problèmes de santé courants. Vous vous êtes réveillé enrhumé ? Vous découvrirez qu'il y a diverses façons de soulager vos symptômes et de reprendre goût à la vie : les suppléments alimentaires, les remèdes homéopathiques et même… le bon vieux traitement à la vapeur.

Vous avez l'estomac embarrassé parce que vous vous êtes laissé aller à des excès de table ? Il existe des plantes et des produits homéopathiques qui peuvent enrayer les nausées et l'indigestion et vous aider à survivre jusqu'au soir. Et si vous vous êtes levé avec une gueule de bois carabinée (et soyons francs, ce sont des choses qui arrivent à tout le monde), et que la perspective de travailler dans cet état vous effraie, vous trouverez plus loin quelques « traitements-chocs » qui vous rendront la vie un peu plus supportable.

Vous n'avez donc aucune raison de ne pas commencer la journée du bon pied !

À GAUCHE : *Smoothie* aux kiwis et à la lime – autres recettes de *smoothie* page 152.

Manger sainement

Difficile de bien manger quand on est occupé. Pourtant, manger sainement ne devrait pas être une corvée puisque la simplicité est l'essence même de la saine alimentation. Découvrez les aliments qui vous conviennent le mieux et mettez-les à votre menu. La nourriture est plus qu'un simple agrément de la vie ; elle est une première nécessité.

Si vous tenez compte du principe des « bons » et des « mauvais » aliments, vous améliorerez votre régime alimentaire – et votre santé – presque du jour au lendemain. N'oubliez pas non plus qu'il existe diverses techniques de cuisson – à la vapeur, à l'étuvée, au gril et au wok – qui conviennent à votre rythme de vie effréné. Vous gagnerez du temps, sans rogner sur l'aspect nutritif de vos repas.

LES BONS ALIMENTS – POUR MANGER SAINEMENT

■ Consommez de préférence des produits biologiques, de saison, fraîchement cueillis et cultivés, le plus possible, localement. Les produits non biologiques sont souvent vaporisés contre les parasites et les maladies ou traités artificiellement pour en améliorer l'apparence ou la durée de conservation. Si vous ne pouvez éviter de manger des fruits et des légumes non biologiques, pelez-les.

■ Intégrez à votre alimentation les trois éléments suivants. Premièrement, la plus grande quantité possible de fruits et de légumes frais – au moins cinq portions chaque jour. Deuxièmement, beaucoup de glucides complexes – riz brun, millet, avoine, pommes de terre, pâtes alimentaires et pain de blé entier. Troisièmement, quelques bonnes protéines : légumineuses, noix, viande blanche maigre, poisson et produits à base de soja.

■ Buvez au moins 8 tasses (2 ℓ) d'eau minérale chaque jour.

■ Ajoutez à vos aliments de grandes quantités de fines herbes et d'épices – elles ont de puissants effets bénéfiques pour la santé.

LES MAUVAIS ALIMENTS – À ÉVITER

■ Réduisez votre consommation des aliments suivants : viande rouge, produits laitiers complets et aliments frits. Remplacez le sel par des fines herbes et des épices ou du céleri. Évitez les aliments qui contiennent des additifs alimentaires, des colorants et des agents de conservation (aliments tout prêts, aliments de restauration rapide, plats cuisinés et aliments emballés), la viande et le poisson fumés, les saucisses et les viandes transformées – ces produits contiennent beaucoup d'additifs alimentaires (et de matières grasses). Évitez également le sucre et les édulcorants de synthèse – les aliments de régime en sont pleins.

■ Éliminez la caféine – dans le thé, le café et les boissons gazeuses. Buvez des tisanes ou des succédanés décaféinés.

■ Faites une consommation modérée d'alcool.

Poisson sauté – recette page 152

Petits déjeuners énergisants

Pourquoi sautez-vous le petit déjeuner ? Parce que vous êtes trop occupé ? Pour perdre du poids ? Vous ne devriez pas ! Un bon petit déjeuner fournira à votre corps et à votre esprit le carburant requis pour toute la matinée, et même, pour une bonne partie de l'après-midi.

MANGER POUR FAIRE LE PLEIN D'ÉNERGIE

Voici quelques suggestions qui offrent un bon équilibre entre les protéines, les matières grasses et les glucides.

■ Gruau avec du lait ou du lait de soja (source de glucides à libération lente). Incorporez des amandes hachées (elles contiennent des protéines et du « bon » gras) et des raisins de Smyrne (pour un goût sucré sans sucre ajouté).

■ Faites tremper des flocons d'avoine dans du lait de soja toute la nuit. Le matin, rajoutez du lait de soja au goût ainsi que des graines de tournesol et des fruits séchés.

■ *Smoothie* à l'avocat avec du lait de soja et des fruits frais Mélangez un gros avocat, 2 c. à thé / 10 ml de lait de soja et 1 tasse / 250 ml de glace.

■ Rôtie de pain de blé entier avec du beurre d'arachide (à teneur réduite en sel et en sucre) ou avec du beurre d'amande ou de graines de tournesol.

■ Haricots au four (sans sucre ni sel) sur rôtie de pain de blé entier avec tartinade à base de matières grasses polyinsaturées. En été, ajoutez des morceaux de fruits frais ou une salade de fruits et en hiver, de la compote de fruits saupoudrée de cannelle.

■ Un verre de jus de fruits. Ajoutez une tasse de succédané de café avec du lait de soja (ex. : café d'orge, de chicorée ou de caroube).

■ Une tasse de tisane (le fenouil et la menthe poivrée facilitent la digestion) ou de thé à la cannelle pour vous réchauffer en hiver.

Gruau (image principale), haricots au four (photo du bas) et *smoothie* à l'avocat (photo du haut) – recettes page 152

À ÉVITER

★ *Les aliments qui ne contiennent que des glucides, comme les céréales pour petit déjeuner. Le sucre élève rapidement le taux de glycémie puis le fait chuter brusquement, vous laissant sur votre faim et fatigué.*

★ *Les traditionnels « œufs-bacon ». L'excès de matières grasses est très mauvais pour le cœur et rend léthargique.*

★ *Le sucre et le café – en activant le rythme cardiaque, ces stimulants provoquent une impression de stress. Le café élimine en outre le magnésium, un sel minéral antistress, de votre organisme.*

Vers la santé… en douceur

Le *smoothie* est le petit déjeuner santé par excellence concentré dans un verre. Débordant de vitamines, de minéraux et de phytonutriments (micronutriments aux propriétés thérapeutiques provenant des plantes), il est un véritable punch santé.

Selon les spécialistes en matière de santé, la consommation quotidienne d'au moins cinq portions de fruits et de légumes réduit de moitié les risques de cancer. Vous aurez toutes ces portions d'un seul coup avec les boissons proposées ici.

Pour obtenir le meilleur effet, toujours servir ces *smoothies* immédiatement après les avoir préparés. Après avoir été pelés et écrasés, les fruits et les légumes perdent leurs propriétés nutritives en quelques heures .

CONSEILS

■ Ces boissons sont faciles et rapides à préparer.

■ Mettez tous les ingrédients dans le bol du mélangeur. Ajoutez une poignée de glaçons et mélangez à la puissance maximale, jusqu'à ce que la préparation soit lisse et crémeuse.

■ Utilisez des fruits et des légumes frais, de saison, biologiques et cultivés localement, lorsque c'est possible.

■ Remplacez le *smoothie* par du lait tiède et épicé en hiver, ou si vous souffrez d'un métabolisme lent ou d'une mauvaise circulation.

Tornade estivale (à gauche), surprise aux carottes (au centre) et délice tropical (à droite) – recettes page 152

Nausées et indigestion

La soirée d'hier a été un franc succès – vous avez fait le plus merveilleux des repas et l'avez arrosé d'une bonne quantité d'alcool. Ce matin toutefois, vous vous sentez horriblement mal – nausées, brûlures d'estomac et gaz intestinaux menacent de faire de votre journée un enfer. Les recettes qui suivent devraient soulager vos malaises.

HOMÉOPATHIE

Les médicaments homéopathiques sont en vente dans les pharmacies et dans les magasins de produits naturels, à différents taux de dilution (6CH, 30CH, etc.). Choisissez dans la liste suivante le produit le mieux adapté à vos symptômes. Prenez une granule (dilution 30CH) par heure pendant quatre heures.

■ **Nux vomica** : aigreurs, nausées, éructation difficile, lourdeurs et douleurs d'estomac.

■ **Arsenicum album** : soif intense, nausées, haut-le-cœur ; ou après des excès de table ou d'alcool, aigreurs et brûlures d'estomac qui atteignent un paroxysme entre minuit et deux heures du matin.

■ **Ipecacuanha** : nausées d'origine digestive, salivation excessive, pâleur et secousses musculaires, hoquet, sensation de ballonnement.

PHYTOTHÉRAPIE

La phytothérapie est l'utilisation des plantes pour traiter les maladies et rééquilibrer l'organisme.

■ Buvez des tisanes : cataire, gingembre, fenouil, camomille, menthe poivrée. Ajoutez aussi quelques graines de fenugrec broyées et du persil frais.

■ Buvez $1/4$ tasse (60 ml) de jus d'aloès à jeun.

■ Les comprimés de charbon de bois favorisent l'absorption des gaz. Prenez-les entre les repas et seuls, sans autre supplément. Ne les utilisez cependant pas de façon régulière car ils nuisent à l'absorption des éléments nutritifs.

★ La menthe poivrée peut faire diminuer la lactation. Donc, utilisez-la avec prudence si vous allaitez.

★ Évitez le gingembre si vous souffrez d'ulcères gastriques.

★ Évitez le fenugrec si vous êtes diabétique et le fenouil si vous êtes épileptique.

★ Demandez les conseils d'un herboriste avant d'utiliser ces plantes.

AUTRES CONSEILS

★ Si le stress et l'anxiété sont à la base de votre problème, songez à intégrer la méditation (voir page 23) à votre routine quotidienne. Les pouvoirs équilibrants du yoga pourraient également vous être utiles (voir pages 14-15).

★ Intégrez l'exercice à votre routine quotidienne.

Éliminer la gueule de bois

Dans un monde parfait, il n'y aurait pas de gueule de bois. Mais le monde est loin d'être parfait, n'est-ce pas ? La meilleure façon d'éviter la gueule de bois, c'est d'être raisonnable. Si, cependant, vous ne l'avez pas été, essayez ces traitements-chocs du lendemain.

■ Un grand verre de jus d'orange ou de pamplemousse frais, non sucré, accompagné d'une multivitamine de bonne qualité et d'un supplément de minéraux. Prenez la dose recommandée sur l'emballage.

■ Un bain chaud auquel vous ajoutez des huiles essentielles : deux gouttes de lavande, deux gouttes de genièvre et une goutte de romarin.

■ Ajoutez à 2 tasses (1/2 ℓ) d'eau tiède une goutte d'huile essentielle de fenouil et une de genièvre. Placez des compresses de coton imbibées de ce mélange sur le front, les tempes et la région du foie.

■ Buvez 1 tasse (250 ml) de tisane à la menthe poivrée pour calmer l'estomac.

■ Un petit déjeuner simple et sain : du miel sur du yogourt ou du gruau parsemé de germe de blé et une rôtie de pain de seigle.

HOMÉOPATHIE

L'homéopathie offre d'excellentes cures contre la gueule de bois. La dilution des produits achetés à la pharmacie ou dans les magasins de produits naturels sera indiquée sur le flacon. Choisissez dans la liste ci-dessous le produit le mieux adapté à vos symptômes (dilution 6CH).

★ *Nux vomica : mal de tête, lourdeur, étourdissements et irritabilité.*

★ *Pulsatilla : gueule de bois causée autant par les excès de table que l'abus d'alcool.*

★ *Sulphur : flatulence excessive et fatigue nerveuse, particulièrement après avoir bu en solitaire.*

★ *Kalium bichromicum : pour les buveurs de bière qui souffrent de nausées et de vomissements.*

Désintoxiquer l'organisme

Les repas et les aliments très riches peuvent provoquer l'engorgement du système lymphatique. L'organisme ne pouvant plus évacuer efficacement les toxines, l'accumulation qui en résulte fatigue le foie, les reins et les systèmes digestif et immunitaire.

Le « rince-foie » est une boisson qui aide à désengorger le système lymphatique, à éliminer les toxines du foie et à nettoyer la vésicule biliaire, les reins et le tractus intestinal.

IMPORTANT

Si vous avez des calculs biliaires ou des antécédents familiaux de calculs biliaires, demandez les conseils d'un spécialiste avant de prendre ce mélange. N'en buvez pas si vous êtes enceinte ou si vous allaitez.

RINCE-FOIE

Mettez dans le bol du mélangeur 3 à 4 c. à table (45 à 60 ml) d'huile d'olive pure pressée à froid ou d'huile d'amande, 6 à 8 c. à table (90 à 120 ml) de jus de citron fraîchement pressé, 3 à 6 pointes d'ail et du gingembre fraîchement râpé, au goût. Mélangez jusqu'à ce que la préparation soit mousseuse. Buvez immédiatement. Ne vous laissez pas rebuter par les ingrédients – vous vous y habituerez rapidement !

Sus au rhume !

Au réveil, vous aviez mal à la gorge, la tête grosse et le nez congestionné. Eh oui ! C'est le rhume ! Et vous avez une réunion dans une heure… Essayez l'un ou l'autre des remèdes suggérés ici ; s'ils n'éliminent pas complètement votre rhume, ils vous aideront au moins à vous sentir mieux toute la journée.

SUPPLÉMENTS

Aux premiers symptômes d'un rhume, prenez un mélange des produits suivants :

■ vitamine C tamponnée (non acide) : prenez 5 000 à 15 000 mg par jour, seulement pendant la durée de votre rhume. Répartissez la dose tout au long de la journée. Ces quantités semblent énormes mais ne vous alarmez pas – vous saurez que vous en prenez trop si vous avez la diarrhée. Dans ce cas, réduisez la dose ;

■ une multivitamine de bonne qualité, des minéraux et un complexe antioxydant – un mélange de vitamines et de minéraux stimule la fonction immunitaire ;

■ échinacée – pour stimuler la fonction immunitaire : 10 gouttes de teinture deux à trois fois par jour ;

■ une pastille de zinc (en vente dans les magasins d'alimentation) aux trois heures – ou selon les directives données sur l'emballage. Ne prenez pas plus de 100 mg de zinc par jour (y compris celui qui se trouve dans les autres suppléments que vous prenez).

> **ATTENTION**
> ★ *Les fortes doses de vitamine C, comme celles qui sont recommandées ici, ont une incidence sur le niveau d'œstrogène. Utilisez une méthode de contraception additionnelle si vous prenez la pilule.*

VAPEUR
Ajoutez cinq gouttes d'huile essentielle d'eucalyptus à un bol d'eau chaude. Recouvrez votre tête et le bol d'une serviette. Respirez lentement et avec prudence dans la vapeur qui s'en dégage.

HOMÉOPATHIE

Le bon remède homéopathique est la meilleure façon d'arrêter net un rhume. Assurez-vous toutefois que vos symptômes correspondent exactement à ceux qui sont décrits. Utilisez la dilution 6CH. Ces médicaments sont en vente dans les pharmacies et dans les magasins de produits naturels.

REMÈDE	SYMPTÔMES
ACONITUM	*C'est le premier remède auquel vous devez penser dès les symptômes annonciateurs d'un rhume. Pour les rhumes qui se déclarent brusquement, souvent après une exposition à des vents froids. Forte fièvre, nervosité et anxiété ; le nez coule. L'état du malade s'améliore au grand air.*
BRYONIA	*Le rhume commence dans les voies nasales mais descend vite dans la gorge et la poitrine ; toux sèche et douloureuse. Le malade est irritable et veut qu'on le laisse seul. Ressent le besoin de boire de grandes quantités de liquide à la fois.*
NATRUM MURIATICUM (NAT MUR)	*Le rhume commence par des éternuements. Écoulements clairs ou blanchâtres abondants, parfois accompagnés de vésicules de l'herpès. Les symptômes sont aggravés par le grand air et l'effort. Le malade préfère qu'on le laisse seul. Perte totale du goût.*
BELLADONNA	*Le rhume se déclare brusquement. Figure, surtout les joues, rouge vif et pupilles dilatées. Tout mouvement est source de douleur ; fort mal de tête ; congestion nasale. Grand besoin d'obscurité, de tranquillité et de chaleur. Gorge rouge et douloureuse. Grand besoin de jus de citron.*
GELSEMIUM	*À utiliser dès les premiers symptômes d'un rhume. Pris assez tôt, ce remède peut arrêter le rhume plus rapidement que tout autre. Les symptômes démarrent plus lentement. Classiques alternances de bouffées de chaleur et de frissons glacés le long de la colonne vertébrale. Sensation d'avoir la tête lourde. Grande fatigue et grande faiblesse. Absence de soif. Le malade frissonne et ne peut se réchauffer. Utile pour les rhumes d'été et ceux qui se déclenchent durant les périodes de redoux hors-saison.*
ALLIUM CEPA	*À utiliser quand vous avez le nez qui coule et beaucoup de mucus. Yeux, lèvres et narines rouges et enflammés.*

CHAPITRE TROIS

En route vers le bureau

Peu d'entre nous ont la chance de vivre à cinq minutes de marche de leur bureau. Que vous vous y rendiez en auto ou par les transports en commun, le voyage est toujours une source potentielle de tensions et de stress. Embouteillages, chauffards, trains bondés, autobus qui arrivent en retard ou pas du tout : il y a vraiment là de quoi hurler !

Restez calme cependant. Vous trouverez dans ce chapitre des moyens qui, faute de rendre vos déplacements agréables, les rendront à tout le moins acceptables. Vous apprendrez à faire de votre auto un havre de paix personnel.

Quand les bouchons de circulation s'amplifient et que la tension monte, faites des exercices de respiration, chantez ou psalmodiez des formules apaisantes pour faire diminuer le stress et rester calme. Les techniques proposées pour demeurer concentré au volant et les trucs sur la façon de s'asseoir confortablement soulageront une partie des tensions inhérentes à la conduite sur de longues distances.

Si vous êtes un usager régulier des transports en commun, transformez chacun de vos déplacements en une mini-séance de méditation à l'aide de techniques simples de respiration en profondeur et des postures de *Qi Gong*. Apprendre à visualiser votre aura par la méditation vous permettra de vous isoler de la foule et de protéger votre espace personnel. D'autre part, des exercices discrets de *jin shin jyutsu* vous aideront à équilibrer et à régénérer votre énergie.

Chacune des étapes de votre voyage – de la file d'attente au temps passé dans l'escalier roulant – peut être mise à profit. Une technique pour combattre les effets du décalage horaire est même proposée au cas où vous iriez travailler en avion !

Profitez de tous ces voyages. Songez que chacun d'entre eux (même le plus court) est à l'image du plus long voyage qu'est la vie. Essayez de mettre les vôtres à profit.

Votre auto, un havre de paix

La première chose à faire pour éviter que le trajet quotidien vers le bureau ne devienne source de stress, c'est de transformer votre auto en un havre de tranquillité agréable et réconfortant. Cinq minutes suffisent pour la nettoyer et la débarrasser de ce qui y traîne.

★ *Protégez-vous : suspendez à l'aide d'un ruban rouge une petite balle d'argent à votre rétroviseur. Selon le feng shui, c'est une façon de détourner l'énergie négative. Vous pouvez aussi mettre sur le tableau de bord votre symbole spirituel préféré. Dans certains pays, il est courant d'y installer une statuette de la Vierge Marie. Vous pouvez cependant décider d'y placer un bouddha, une étoile de David, une idole ou une représentation de votre animal fétiche.*

★ *La musique que vous écoutez en auto doit vous mettre dans un état d'esprit propre à la conduite automobile – elle ne doit être ni trop agressive ni trop soporifique. Les livres enregistrés vous donnent l'occasion de « lire » un classique ou de rire en compagnie de votre humoriste préféré. Vous pouvez aussi commencer la journée en écoutant les sages enseignements d'une cassette de développement personnel. Évitez toutefois les enregistrements qui incluent des exercices de relaxation profonde ou d'autohypnose.*

★ *Éliminez le fouillis : ramassez les vieux journaux, les contenants de mets à emporter, les verres à café et les jouets des enfants.*
★ *Nettoyez votre auto à fond : mettez quelques gouttes d'huile essentielle de pamplemousse dans le sac de l'aspirateur. Nettoyez les tapis avec de l'eau à laquelle vous aurez ajouté quelques gouttes d'huile de citron et de romarin. Frottez le tableau de bord avec un linge aspergé de quelques gouttes de l'une des huiles mentionnées.*

★ *Préparez une trousse d'urgence spirituelle : livre spécial, huiles essentielles qui dégagent un sentiment de bien-être et mouchoirs de papier pour en mettre quelques gouttes, photos d'êtres chers, collation santé, eau minérale, bande dessinée amusante.*

Protéger votre colonne vertébrale

Les sièges d'auto sont conçus en fonction de la sécurité et non en fonction de votre bien-être. La technique Alexander vous aidera à acquérir une bonne posture – les trucs qui suivent adouciront le stress imposé à votre colonne vertébrale lorsque vous êtes en auto.

★ *Ajustez la position de votre siège de façon à pouvoir atteindre les pédales sans vous étirer. D'autre part, ne vous cramponnez pas au volant. Placez vos mains en position « dix heures dix », appuyées légèrement mais fermement sur le volant.*

★ *Redressez le dossier de votre siège et assoyez-vous complètement au fond, le dos collé au siège sur toute sa longueur. Essayez de placer un support lombaire dans le creux de vos reins pour ne pas vous affaisser.*

★ *Avant d'entrer dans l'auto, immobilisez-vous un moment. Laissez votre corps s'allonger, comme s'il pendait mollement, suspendu à une corde fixée au sommet de votre crâne. Sentez vos épaules descendre, s'éloigner de vos oreilles. Prenez conscience du sentiment d'être fermement en contact avec le sol. Laissez votre esprit se calmer et se concentrer.*
★ *Entrez dans l'auto lentement, en étant attentif à chacun de vos gestes. Assoyez-vous en laissant les pieds à l'extérieur. Puis, en étant attentif à vos gestes, rentrez-les.*

★ *Quels sont vos points de tension. Les mains ? Les jambes ? Les épaules ? Passez régulièrement ces points en revue et faites un effort conscient pour les relaxer. Assurez-vous que votre corps est entièrement décontracté lorsque vous conduisez.*

★ *Quand vous faites marche arrière, ne tordez pas le cou. Abaissez plutôt le bout du nez vers l'épaule puis retournez-vous – cette technique étire la colonne vertébrale.*

Extérioriser votre frustration

Vous êtes en retard et les autos qui vous entourent sont conduites par une bande d'idiots. Vous sentez littéralement monter la tension. Heureusement, votre auto est un espace privé et insonorisé. Vous pouvez vous y livrer à la thérapie par le son et utiliser, à l'insu de tous, des techniques qui sont parmi les plus efficaces pour diminuer la tension.

TECHNIQUES SONORES ANTISTRESS

■ **Fredonnez :** si vous vous sentez stressé, anxieux ou nerveux, restez calme et fredonnez doucement. Le son se répercutera dans tout votre corps. À quel endroit pouvez-vous le sentir ? Cet endroit change-t-il quand vous modifiez la note ?

■ **Soupirez :** vous vous sentez irritable et tendu ? Poussez un long soupir bruyant. Accompagnez-le d'un grognement sourd pour évacuer les émotions négatives. Laissez-vous vraiment aller.

■ **Chantez :** syntonisez une chaîne qui diffuse de la musique joyeuse et chantez. Hurlez à tue-tête si le cœur vous en dit. Si vous êtes tendu, écoutez de la musique rythmée – la musique douce et apaisante peut vous rendre encore plus irritable !

■ **Récitez des mantras :** il n'est pas nécessaire de dire « Omm » ou quoi que ce soit de spirituel – essayez simplement de psalmodier des formules positives, en les répétant sur différents tons. Par exemple : « Je suis calme, je suis calme, je suis très calme. »

Ces exercices simples vous remettront de bonne humeur et ensoleilleront votre journée.

Demeurer vigilant

Vous savez que la route sera longue et qu'il vous sera difficile de rester concentré et vigilant. Pas de panique. Les techniques simples qui suivent vous aideront à conduire longtemps en toute sécurité.

★ *Si votre concentration diminue, variez votre vitesse de conduite. Rompez la monotonie et l'effet soporifique qui résultent de la conduite à vitesse régulière et de l'utilisation constante du régulateur de vitesse.*

★ *Faites le test de vision suivant – regardez juste devant vous, puis à distance moyenne et finalement, à la ligne d'horizon. Cette pratique de bonne conduite est un exercice qui s'impose lorsque vous vous sentez fatigué.*

★ *Aspergez un mouchoir de papier de quelques gouttes d'huiles essentielles « anti-sommeil » et respirez-le de temps à autre. Les odeurs d'agrumes – citron, lime et pamplemousse – sont revigorantes.*

★ *Faites preuve d'observation. Soyez attentif à tout ce que vous faites et à tout ce que vous voyez. Commentez tout ce qui arrive – « Je sens une petite tension dans le cou ; je dois relâcher. Panneau indicateur à l'horizon. Une auto rouge me dépasse. »*

45

Éliminer la rage au volant

La tension monte vite lorsqu'on est prisonnier d'un bouchon de circulation. En un rien de temps, on serre les dents et l'on élève le ton, maudissant tous les autres conducteurs pour leur stupidité. Ne laissez pas la frustration s'intensifier – coupez court à la rage au volant au moyen de cet exercice simple – seulement si votre auto est immobilisée toutefois ! Exécutez-le lorsque vous attendez au feu rouge ou lorsque vous êtes bloqué dans un bouchon.

ÊTES-VOUS TENDU ?
★ *Assurez-vous régulièrement que vos épaules et vos jambes sont détendues.*
★ *Vos mains sont-elles serrées sur le volant au point que vos jointures en sont blanches ? Détendez-les le plus possible.*

LE « RELÂCHE-TENSION »
1 *Joignez les mains derrière la tête, les paumes en contact avec l'arrière du crâne.*
2 *Laissez le poids de vos mains pousser votre tête vers l'avant. Vous sentirez un étirement dans le cou et tout le long de la colonne vertébrale. Ne poussez pas vers le bas ; relâchez simplement les bras et* laissez le poids de vos mains faire tout le travail. Gardez la pose au moins 20 secondes – plus longtemps si vous le pouvez.
3 *Poussez un profond soupir en expirant « A-a-a-ah ».*
4 *Répétez les étapes 1 à 3 plusieurs fois si c'est possible. Cependant, même pratiqué pendant seulement quelques secondes, cet exercice atténue la tension.*

Garder son calme

Les exercices de respiration comptent parmi les techniques éclair les plus efficaces qui soient pour faire diminuer le stress et accroître l'énergie. La technique de respiration *Ujjayi* du yoga – ou respiration « psychique » – est à la fois extrêmement simple et particulièrement efficace. Utilisez-la chaque fois que vous devez « rester calme » – votre niveau de stress chutera en quelques minutes.

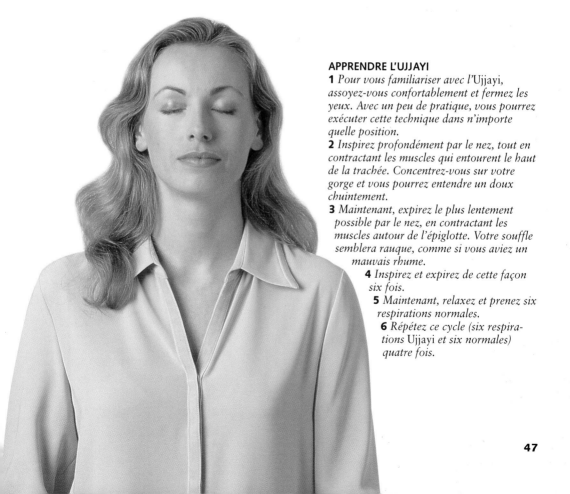

APPRENDRE L'UJJAYI

1 Pour vous familiariser avec l'Ujjayi, assoyez-vous confortablement et fermez les yeux. Avec un peu de pratique, vous pourrez exécuter cette technique dans n'importe quelle position.

2 Inspirez profondément par le nez, tout en contractant les muscles qui entourent le haut de la trachée. Concentrez-vous sur votre gorge et vous pourrez entendre un doux chuintement.

3 Maintenant, expirez le plus lentement possible par le nez, en contractant les muscles autour de l'épiglotte. Votre souffle semblera rauque, comme si vous aviez un mauvais rhume.

4 Inspirez et expirez de cette façon six fois.

5 Maintenant, relaxez et prenez six respirations normales.

6 Répétez ce cycle (six respira-tions Ujjayi et six normales) quatre fois.

47

Faire la queue sans perdre son calme

Être coincé au cœur de la foule dans un train de banlieue ou dans une file de gens qui attendent l'autobus est une situation à la fois pénible et inconfortable. Il y a cependant moyen de mettre ce temps à profit – même si ce ne sont que quelques minutes. Les exercices de *Qi Gong* et de yoga illustrés ici peuvent être exécutés n'importe où. Ils facilitent la circulation de l'énergie dans le corps en même temps qu'ils calment et énergisent.

EXERCICE DE QI GONG
1 *Debout, les pieds assez près l'un de l'autre, laissez pendre les bras de chaque côté du corps. Si vous vous sentez suffisamment en confiance, fermez les yeux. Sinon, baissez-les.*
2 *Passez attentivement tout votre corps en revue et relaxez chacune de ses parties. Commencez par la tête – sentez votre cuir chevelu se détendre. Relâchez les muscles du visage, détendez la mâchoire. Imaginez que même vos cheveux se détendent.*
3 *Serrez les épaules puis relâchez-les. Relaxez les bras. Serrez les poings et détendez les mains.*
4 *Relaxez la poitrine et l'abdomen. Sentez votre respiration pénétrer profondément dans votre abdomen et gonflez-le en inspirant. Relaxez le dos – imaginez que chacune de vos vertèbres se détend, sentez votre colonne vertébrale relaxer et devenir souple.*
5 *Détendez les hanches, les cuisses, relâchez les genoux. Sentez la tension descendre dans vos jambes, sortir de votre corps par la plante des pieds et rentrer dans le sol.*

> **HUILES ESSENTIELLES APAISANTES**
> *L'huile essentielle de lavande a un puissant effet apaisant et relaxant. Gardez dans votre poche un mouchoir de papier aspergé de quelques gouttes de cette huile. Si vous vous sentez stressé ou irritable, inspirez une bouffée de lavande de temps en temps.*

6 *Visualisez maintenant un lac magnifique et calme qui brille au soleil. Votre esprit est comme ce lac – calme et dégagé.*
7 *Imaginez maintenant un ciel bleu. Des nuages le traversent. Toutes vos préoccupations sont comme ces nuages – elles passent rapidement et le ciel redevient bleu et limpide.*
8 *Demeurez dans cette position, détendu et méditatif, le plus longtemps possible. À l'arrivée du train ou de l'autobus ou lorsque vous arrivez à destination, reprenez conscience du monde qui vous entoure. Tapez des pieds et étirez-vous un bon coup.*

HAUSSEMENT DES ÉPAULES

1 *Assoyez-vous confortable-*
ment, les bras pendant
librement.
2 *Soulevez les épaules*
jusqu'aux oreilles en les
haussant le plus pos-
sible. Intensifiez la
tension dans votre
corps au maxi-
mum. Inspirez
en levant les
épaules.

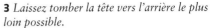

3 *Laissez tomber la tête vers l'arrière le plus*
loin possible.
4 *Expirez en laissant tomber les épaules et en*
relevant la tête. Vous devriez ressentir de la
chaleur dans le cou et les épaules – c'est que
le sang circule
mieux dans cette
région de grande
tension.
Répétez au
besoin.

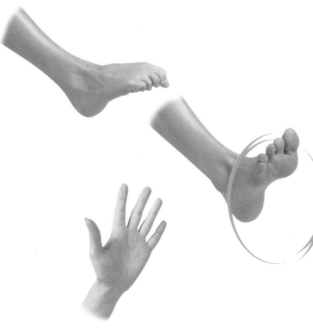

GYMNASTIQUE DES PIEDS ET DES MAINS

Répétez cinq fois chacune des étapes.
1 *Roulez les orteils le plus serré possible et*
relâchez-les.
2 *Courbez le pied vers le bas, en direction du*
talon, puis redressez-le le plus loin possible.
3 *Faites maintenant des cercles avec le pied*
dans le sens des aiguilles d'une montre,
puis dans le sens inverse.
4 *Serrez le poing. Desserrez-le et ouvrez*
la main au maximum.
5 *Étirez les doigts et pliez la main vers*
l'arrière, à angle droit avec le poignet.
Repliez ensuite la main vers l'avant, en
pointant les doigts vers le sol.
6 *Serrez de nouveau le poing et faites-lui*
faire des cercles dans le sens des aiguilles
d'une montre puis dans le sens inverse.

49

Équilibrer l'énergie

Le *jin shin jyutsu* est une ancienne thérapie japonaise capable d'éliminer le stress et la fatigue, de soulager la douleur et d'équilibrer vos émotions. Comme les gestes sont simples et très discrets, vous pouvez pratiquer le *jin shin* partout, à l'insu de tous.

VAINCRE LES EFFETS DU DÉCALAGE HORAIRE

Cet exercice de jin shin *permet de contrer les effets du décalage horaire.*

Tenez le pouce de la main gauche avec les doigts de la main droite. Quand vous sentez une pulsation régulière dans le pouce, relâchez la pression et faites la même chose avec l'index de la main gauche – encore une fois jusqu'à ce que vous sentiez une pulsation.

Procédez de la même manière pour tous les doigts. Répétez ensuite l'exercice avec la main droite.

LIBÉRER LES TENSIONS ET LE STRESS

Cette technique libère le corps des tensions, du stress et de l'énergie viciée et stagnante.
1 *Exercez une légère pression sur la jointure médiane du majeur gauche avec le pouce et les doigts de la main droite.*
2 *Gardez la pose quelques minutes.*
3 *Inversez le procédé pour l'autre main.*

POUR CALMER ET REVITALISER

Cette technique calme le corps en le libérant de la tension nerveuse et du stress. Il revitalise également tous les organes.
1 *Exercez une légère pression sur les quatrième et cinquième doigts de la main gauche avec le pouce et les doigts de la main droite ; le pouce doit être du côté de la paume de la main gauche.*
2 *Inversez le procédé pour l'autre main.*

En marche vers le succès

Tout en marchant, conditionnez-vous à la réussite. Peu importe que votre trajet dure une demi-heure ou quelques minutes. Si vous vous concentrez sur vos pas en vous répétant des formules d'affirmation positive, vous pouvez modifier considérablement le cours de votre journée.

MARCHER EN ÉTANT ATTENTIF À CE QUE VOUS FAITES

1 *Prenez conscience de ce que vous faites. Marchez un peu plus lentement qu'à l'ordinaire et sentez vos pieds entrer en contact avec le sol (est-il dur, mou, chaud, froid ?). Sentez vos orteils se déployer à chacun de vos pas ; prenez conscience du fléchissement de vos genoux, du balancement de vos hanches.*

2 *Concentrez-vous maintenant sur votre respiration. Répétez mentalement « Ins » en inspirant et « Ex » en expirant. Essayez de commencer chaque inspiration et chaque expiration au moment exact où votre pied touche le sol.*

3 *Remarquez le nombre de pas faits pendant chaque inspiration et chaque expiration. Comptez vos pas en marchant et en respirant ; dites mentalement « Ins, deux, trois, quatre… Ex, deux, trois, quatre » ou peut-être « Ins, deux, trois… Ex, deux, trois », selon le nombre de pas faits à chaque respiration. Vous trouverez rapidement votre propre rythme.*

FORMULES POSITIVES
Répétez une affirmation qui vous convient, à haute voix ou mentalement. Cette technique d'autopersuasion est une façon de conditionner votre subconscient et de favoriser la réalisation de l'affirmation que vous répétez. Essayez quelque chose comme « Je réussis absolument tout ce que j'entreprends » ou « Je suis calme, concentré et en pleine maîtrise de la situation » ou encore « Je déborde de créativité et d'idées géniales ». Répétez la phrase choisie à maintes reprises tout en marchant.

51

Deuxième partie – Réussir au travail

Vous êtes arrivé au travail en un seul morceau. Comment vous y prendrez-vous maintenant pour tirer le maximum de cette journée et en sortir gagnant?

CHAPITRE QUATRE

Votre espace de travail

Vous arrivez au travail. Que voyez-vous en franchissant le seuil de votre bureau ? Une oasis de calme, d'ordre et de tranquillité vibrante d'énergie positive ? Ou, au contraire, un horrible fouillis où priment bric-à-brac et chaos ?

Vous voulez être de meilleure humeur au travail, plus énergique, plus créatif et plus productif ? La première chose à faire, c'est de rendre votre bureau le plus invitant et le plus agréable possible.

Qui veut vraiment travailler dans un lieu qui ressemble davantage à un capharnaüm qu'à un bureau ? Le désordre sape l'énergie et alourdit l'esprit. Et dites-vous qu'en plus d'être stressante, la recherche d'importants papiers sous des piles de documents pêle-mêle vous fait perdre un temps précieux.

Prenez cinq minutes pour désencombrer et réaménager votre espace de travail. Vous devriez peut-être commencer par découvrir à quoi ressemble votre bureau sous les tonnes de papier qui le recouvrent. Cela fait, l'art chinois du *feng shui* vous permettra de l'aménager pour qu'il vous aide réellement à atteindre vos buts.

Quel que soit votre objectif – augmentation de salaire, reconnaissance accrue de votre patron, amélioration de vos relations de travail ou capacité de tirer le meilleur profit de vos collaborateurs – l'aménagement de votre bureau peut susciter d'étonnants changements.

L'accumulation d'émanations toxiques qui se dégagent des meubles, des matériaux et du matériel que l'on trouve dans les bureaux modernes peut rendre réellement malade. Nous aborderons donc des moyens de purifier l'air qui y circule. Des trucs pratiques et des conseils vous apprendront à combattre le syndrome des bureaux malsains.

Les maux de dos et de cou sont la bête noire des gens qui travaillent dans les bureaux – surtout s'ils passent beaucoup de temps à l'ordinateur. Une courte leçon sur la façon d'améliorer votre position assise et des trucs pour saisir vos textes confortablement au clavier élimineront la fatigue.

Prenez votre environnement de travail en main et faites-le travailler pour vous. Les choses changeront… sans l'ombre d'un doute.

Éliminer le désordre

Un bureau en ordre aide vraiment à garder l'esprit dégagé. Psychologiquement parlant, le désordre irrite l'esprit. Être continuellement aux prises avec une montagne de choses à faire, à régler ou à terminer finit par être déprimant. D'autre part, le fouillis mine les réserves d'énergie parce qu'il bloque le passage du *Qi* ou énergie vitale. Voilà pourquoi en mettant votre bureau en ordre, vous réénergiserez votre esprit.

DÉSENCOMBRER LES ESPACES DE TRAVAIL

■ Ayez le moins de choses possible sur votre bureau. Si vous n'y laissez que celles qui sont nécessaires à votre travail, vous pourrez mieux vous concentrer sur la tâche qui vous occupe.

■ Classez les documents dès que vous en avez terminé. Ne les laissez pas s'accumuler sur le sol.

■ Décidez sur-le-champ de ce qu'il faut faire des documents que vous recevez : leur donner suite immédiatement ; les classer ou les jeter.

■ Gardez la corbeille à papier à proximité de votre bureau et ouvrez votre courrier juste au-dessus. Jetez-y directement tout ce dont vous n'avez pas besoin.

■ Passez régulièrement en revue le contenu de vos classeurs. Jetez tout ce qui est périmé ou qui n'est plus utile.

QUELQUES TRUCS POUR ÊTRE PLUS EFFICACE

■ Prévoyez du temps pour vous dans votre horaire – des périodes chaque jour où vous ne serez pas dérangé. Consacrez ces moments à des idées ou à des activités de création ou profitez-en pour simplement rester tranquille à refaire le plein d'énergie.

■ Soyez proactif au lieu de réactif. Planifiez ce que vous allez faire et quand vous allez le faire – puis tenez-vous-en à votre plan. Traitez un « rendez-vous » avec vous-même comme tout autre rendez-vous : n'y manquez que si vous ne pouvez faire autrement.

■ Faites une pause de quelques minutes chaque heure. Marchez un peu ou étirez-vous afin de refaire le plein d'énergie et de raviver votre concentration.

■ Établissez l'horaire de votre journée selon vos niveaux d'énergie. Êtes-vous un lève-tôt ou un oiseau de nuit ? À quel moment êtes-vous le plus créatif, le mieux organisé ? Et quelles sont les périodes où votre esprit fonctionne au ralenti ? Ne planifiez rien d'important pour ces moments. Utilisez-les plutôt pour téléphoner ou pour vous mettre à jour dans des tâches routinières.

UN BUREAU À SUCCÈS GRÂCE AU FENG SHUI

Votre bureau est la clé de votre réussite professionnelle. L'endroit où vous placez ce meuble et ce que vous mettez dessus peut faire la différence entre le succès et l'échec – que vous soyez grand patron ou travailleur autonome, dans un grand bureau ou dans un coin de votre salon. Dans les pages qui suivent, nous verrons comment l'art chinois du *feng shui* peut vous aider à aménager votre bureau pour votre plus grand profit.

SE CONCENTRER
★ *Une chandelle allumée sur votre bureau vous aidera à vous concentrer.*
★ *Les huiles de bergamote et de pin sont énergisantes et inspirantes. L'huile de romarin favorise la concentration – mais évitez-la si vous êtes enceinte ou si vous souffrez d'épilepsie.*

Relancer votre carrière

Si vous sentez que votre carrière a besoin d'un regain général de dynamisme et d'énergie, essayez d'aménager votre bureau selon les conseils donnés ci-après. Applicable à tous les espaces de travail, ce canevas de base vous aidera, quelles que soient vos fonctions et peu importe le problème.

LE BUREAU À SUCCÈS

■ Placez votre bureau de façon à être dos à un mur plein et à bien voir la porte et la fenêtre.

■ Une lampe de bureau sur un côté du meuble aide à centrer l'attention – placez-la dans le coin supérieur gauche pour améliorer vos finances.

■ Des fleurs fraîchement cueillies stimulent l'activité mentale et purifient l'atmosphère.

■ Placez le téléphone à votre droite pour que les gens que vous appelez soient plus serviables. Si vous êtes gaucher, gardez votre carnet d'adresses à votre droite pour obtenir un effet similaire.

■ Placez les ouvrages de référence essentiels à votre gauche – cette zone gouverne la connaissance.

■ Si vous faites un travail de création, choisissez un meuble de forme arrondie. Si vous travaillez avec des chiffres ou si vos tâches exigent beaucoup de précision, mieux vaut utiliser un bureau rectangulaire avec, idéalement, les coins arrondis.

■ Un attaché-case ou un sac à main rectangulaire vous incitera à terminer vos projets.

■ Votre ordinateur devrait être placé au centre, au fond de votre bureau. Cette zone régit la renommée et la reconnaissance. Derrière l'ordinateur, mettez au mur quelque chose qui vous rappelle ce que vous voulez accomplir – une photographie, une coupure de journal ou un collage de vos objectifs de travail.

■ À votre gauche, mettez quelque chose qui souligne l'aspect spirituel de votre vie – une statuette, une peinture encadrée ou une très belle pierre.

■ N'encombrez pas votre bureau de photos de famille – elles vous distrairaient. Vous pouvez toutefois en placer deux ou trois au centre et dans le coin supérieur droit.

Faire reconnaître vos mérites

Que vous souhaitiez une meilleure relation avec votre patron ou une substantielle augmentation de salaire, l'art du *feng shui* peut multiplier vos chances d'obtenir ce que vous voulez. Dans les pages précédentes, nous avons expliqué le modèle de base d'un bon bureau. Pour des problèmes plus précis, prenez connaissance des suggestions qui suivent.

LE BUREAU « AUGMENTATION DE SALAIRE »

Pour accroître vos chances d'obtenir une augmentation de salaire, vous devez renforcer le secteur de votre bureau qui gouverne l'argent – le coin supérieur gauche lorsque vous y êtes assis. Appliquez le plus grand nombre possible des « traitements » suggérés ci-après.

■ Placez une lampe dans ce coin.

■ Ajoutez un vase de fleurs – idéalement, quatre fleurs rouges ou pourpres ; ces couleurs sont associées à la richesse dans la tradition chinoise.

■ Mettez aussi un presse-papiers en cristal et une boîte rouge ou pourpre pour les trombones ou la monnaie. On dit que les cristaux stimulent l'énergie positive ou *Qi*.

■ Placez-y le talon de votre chèque de paye et maintenez-le à l'aide d'un beau presse-papiers. Placez également vos factures à cet endroit, en attendant de les envoyer.

■ Si vous le pouvez, installez dans le coin gauche de votre bureau un aquarium avec trois poissons rouges. Sinon, placez trois pièces de monnaie chinoise retenues ensemble à l'aide d'un ruban rouge.

LE BUREAU « SOURCE DE CRÉATIVITÉ »

Pour favoriser la créativité, intégrez à votre bureau le plus grand nombre possible des « traitements » suggérés ci-après.

■ Choisissez un bureau de forme arrondie ou dont les coins sont légèrement arrondis.

■ Un presse-papiers en cristal stimulera votre intuition. Placez-le au centre, au fond de votre bureau.

■ Ayez toujours des fleurs fraîches de couleur vive. Choisissez également des accessoires de bureau aux couleurs éclatantes.

■ Installez une fontaine d'intérieur à proximité de la porte de votre bureau ou à côté de votre meuble de travail. Pour favoriser les occasions, placez dans le coin droit de votre bureau un crapaud à trois pattes, considéré par les Chinois comme le dieu des occasions, de la chance, de l'argent et du succès.

■ En face de vous, placez quelque chose qui stimulera votre créativité ou vous rappellera vos objectifs.

LE BUREAU « SOURCE DE RENOMMÉE »

La zone directement en face de vous, au fond de votre bureau, est la zone associée à la « renommée ». Si ce secteur est déjà occupé par l'ordinateur, ajoutez les éléments suivants autour de ce dernier ou sur le mur opposé.

■ Placez-y quelque chose de couleur rouge. Ou installez dans cette zone un diplôme ou la mention d'un prix que vous avez reçu, afin de vous remémorer vos réalisations.

■ Une chandelle ou un cristal augmenteront vos chances d'être remarqué et reconnu à votre juste valeur.

■ Ayez une lampe de bureau rouge, pourpre ou jaune, des couleurs qui favorisent la renommée. Ajoutez d'autres accessoires de bureau – corbeille de rangement, chandelles, cadres, tapis de souris – de même couleur. Les teintes fortes stimulent l'activité mentale·et attirent l'attention.

LE BUREAU « SOURCE DE BONNES RELATIONS »

Le coin supérieur droit de votre bureau régit les relations interpersonnelles.

■ Utilisez le jaune et le chiffre deux dans cette zone – deux fleurs jaunes dans un vase, par exemple.

■ Placez à cet endroit une photo de votre équipe de travail et installez une chandelle devant pour stimuler l'énergie de votre groupe.

■ Déplacez votre lampe de travail vers cette zone pour aviver votre énergie relationnelle.

Combattre le syndrome des bureaux malsains

Les bureaux ne sont pas des endroits particulièrement sains. Certains sont même qualifiés de « malsains ». Leurs occupants manquent d'énergie et se plaignent sans cesse de divers malaises. Bon nombre des matériaux utilisés dans les bureaux modernes (peintures, tapis, meubles) dégagent des émanations toxiques. Essayez les stratégies qui suivent pour minimiser les risques.

ASSAINIR VOTRE ENVIRONNEMENT

■ Travaillez le plus possible à la lumière naturelle – déplacez votre bureau pour qu'il soit près de la fenêtre ou utilisez des ampoules dites « lumière du jour ». Évitez le plus possible l'éclairage fluorescent .

■ Aérez bien votre bureau – une fenêtre ouverte favorise l'évacuation des émanations toxiques. Si le temps ne s'y prête pas, ouvrez la fenêtre, même si ce n'est que cinq minutes, avant de commencer à travailler et après le lunch.

■ Le matériel électrique est entouré de champs électromagnétiques qui ont été associés à l'insomnie, à l'hypertension artérielle, à l'anxiété et à un mauvais état de santé général. Il est donc justifié de les débrancher lorsqu'ils ne servent pas. Placez des plantes utiles (voir ci-contre) à proximité des ordinateurs, des photocopieurs, des télécopieurs, etc.

■ Utilisez le moins possible les systèmes de chauffage et de conditionnement d'air. Portez plutôt une épaisseur de vêtements supplémentaire ou installez des ventilateurs.

■ Assurez-vous que les systèmes de chauffage et de conditionnement d'air fonctionnent correctement en tout temps – faites-les régulièrement vérifier et entretenir.

■ Faites de votre lieu de travail un endroit sans fumée – ou aménagez un fumoir.

■ Installez des ioniseurs pour améliorer la qualité de l'air ambiant. Un aquarium aidera à équilibrer le taux d'humidité de votre bureau.

■ Si vous prévoyez refaire la décoration de votre bureau, utilisez des peintures et des solvants non toxiques. Choisissez des tissus, des revêtements de sol et des meubles qui n'ont pas été traités avec des produits chimiques.

■ Demandez au personnel d'entretien d'utiliser des produits de nettoyage non toxiques.

LE POUVOIR DES PLANTES

Certaines plantes peuvent avoir un effet bénéfique sur votre santé et votre niveau d'énergie. Les recherches ont démontré que ces plantes peuvent éliminer des polluants de l'air comme le formaldéhyde, le benzène et le trichloréthylène. Ces produits chimiques se dégagent des tapis, des meubles faits de panneaux de particules et de fibres, des meubles recouverts d'un antitache et de la peinture.

SUPERPLANTES

Égayez et assainissez votre bureau avec les plantes suivantes :

★ *Arum grimpant (*Epipremnum aureum*)*

★ *Plante araignée (*Chlorophytum comosum 'Vittatum'*)*

★ *Philodendron grimpant (*Philodendron scandens*)*

★ *Cactus cierge (*Cereus peruvianus*)*

★ *Sansevière à trois bandes (*Sansevieria trifasciata*)*

★ *Spathiphyllum (*Spathiphyllum wallisii*)*

★ *Syngonium (*Syngonium podophyllum*)*

Soulager les maux de dos et de cou

La manière de s'asseoir peut avoir de graves répercussions.
Si votre position assise est mauvaise, vous développerez des
maux de dos et de cou chroniques et votre santé en souffrira.
En outre, vous ne pouvez avoir l'esprit aussi clair et
concentré que si vous étiez assis en position optimale.
Une bonne posture peut même prévenir l'anxiété et la
dépression – alors, prenez quelques minutes pour
vérifier votre siège.

Gardez la tête droite.

COMMENT S'ASSEOIR

1 *Ne vous laissez pas tomber sur votre siège. La tension au
niveau du cou qui en résulte peut provoquer des maux de
dos et de cou et même des maux de tête et des migraines.
Fléchissez les hanches et les genoux de façon que votre
corps demeure en équilibre tant que vous n'êtes pas
assis.*
2 *Une fois assis, pensez à équilibrer votre corps.
Gardez les pieds bien en contact avec le sol.
Répartissez également votre poids entre la partie
avant du pied et le talon.*

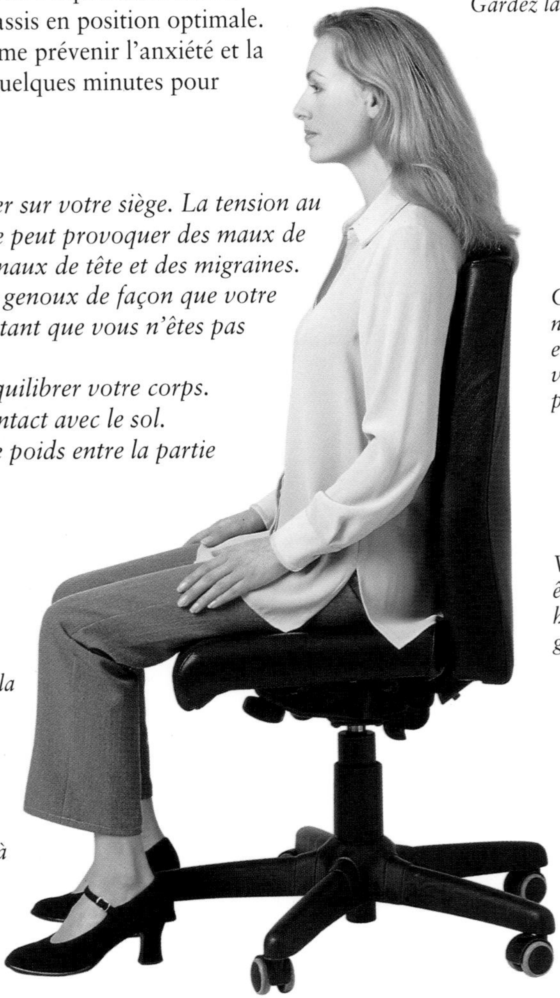

*Gardez le dos droit ;
ne vous affaissez pas
et ne vous penchez
vers l'avant qu'à
partir de la taille.*

*Vos hanches doivent
être un peu plus
hautes que vos
genoux.*

*La partie inférieure de la
jambe doit former un
angle droit avec le sol.*

*Vos pieds doivent être à
plat sur le sol.*

3 *Détendez les chevilles et les genoux. Imaginez que votre colonne vertébrale s'allonge. Distribuez également votre poids sur les deux fesses – ne vous affaissez pas d'un côté.*
4 *Votre siège est-il assez haut ? Rehaussez-le avec quelques annuaires du téléphone au besoin. Travailler le dos courbé au-dessus de votre bureau affectera votre respiration et tous vos organes internes. Penchez-vous plutôt vers l'avant à partir de l'articulation de la hanche, de façon à étirer tout le corps.*

TRAVAIL DE SAISIE AU CLAVIER

Nombre d'entre nous passent leurs journées à taper sur un clavier, les yeux rivés à un écran d'ordinateur. Voici comment le faire en tout confort.
1 *Assoyez-vous droit, tel qu'il a été expliqué précédemment.*
2 *Étirez les bras vers le bas, sur les côtés, les doigts vers le sol. Expirez.*
3 *Pliez les bras aux coudes et remontez-les jusqu'à votre plan de travail. La partie supérieure des bras doit former un angle droit avec le plan de travail, et les coudes doivent être légèrement plus hauts que celui-ci.*
4 *Pliez les mains à partir des poignets et déposez-les légèrement sur le clavier. Commencez à écrire.*
5 *Gardez le cou détendu et respirez lentement et sans effort. Surtout, assurez-vous que vos poignets demeurent décontractés.*

AMÉLIORER VOTRE POSTURE
★ *Corrigez souvent votre posture pendant que vous travaillez. Pensez à changer de position ou, encore mieux, levez-vous et faites quelques pas. Une minuterie qui sonne aux 15 minutes est une bonne façon d'y penser.*
★ *Ne vous assoyez pas avec un portefeuille bien rempli dans la poche arrière de votre pantalon. Vous aurez une fesse plus haute que l'autre et la colonne vertébrale tordue, ce qui entraînera des maux de dos.*

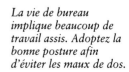

La vie de bureau implique beaucoup de travail assis. Adoptez la bonne posture afin d'éviter les maux de dos.

65

CHAPITRE CINQ

Soulager le stress physique et mental

On se sent vite fatigué et courbaturé à travailler dans un bureau. Bien des gens passent la journée les yeux rivés à un écran d'ordinateur ou assis derrière une table de travail pendant des heures. Rien d'étonnant à ce qu'ils soient courbaturés et tendus, qu'ils aient les yeux douloureux, qu'ils se sentent fatigués et qu'ils bâillent... avant même le milieu de la matinée.

Si vous voulez utiliser votre esprit au maximum, étirez votre corps. Faire du yoga au bureau est la meilleure façon d'y arriver. En outre, vous améliorerez votre concentration tout en demeurant calme et détendu.

Autre sujet de préoccupation : le surmenage intellectuel lié au travail. Chaque journée apporte un nouveau défi – une rencontre éprouvante ou un collègue difficile. Les gens sont parfois irritables et peu serviables. Utilisez la puissance du *feng shui* et de la PNL pour faciliter vos relations de travail et diriger efficacement vos réunions. Ces techniques simples vous enseigneront la façon de composer avec les gens difficiles, voire carrément déplaisants.

Qui ne connaît jamais de déboires, de déceptions, de rebuffades, de refus? On a parfois l'impression d'être dans une impasse dont on ne sortira jamais. Dans ces situations, on se sent vite découragé ou déprimé. Il n'y a pas de quoi. Vous apprendrez dans ce chapitre les plus récentes techniques pour centrer votre énergie et la maintenir à son plus haut niveau. Après avoir appris à vaincre la timidité et à éloigner le cafard, à reprendre confiance en vous et à surmonter les déceptions, vous aborderez le prochain défi avec une attitude positive.

Donc, prenez une profonde inspiration, relaxez et attaquez le problème de front.

Se concentrer

Vous voulez avoir la meilleure forme qui soit du début à la
fin de votre journée de travail, c'est-à-dire être alerte bien
que détendu, calme et concentré? Cette simple routine de
shiatsu vous aidera à ne pas vous laisser déconcerter par ce
qui arrive, à maintenir votre niveau de concentration et à
passer sans problème à travers la journée.

3 *Regardez en haut et étirez les
bras comme si vous vouliez
toucher le ciel, d'abord avec une
main, puis avec les deux.*

RÉGÉNÉRATEUR D'ÉNERGIE
1 *Assis à votre bureau, inspirez et
soulevez les épaules de façon
vraiment exagérée.*

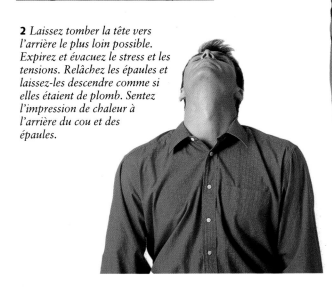

2 *Laissez tomber la tête vers
l'arrière le plus loin possible.
Expirez et évacuez le stress et les
tensions. Relâchez les épaules et
laissez-les descendre comme si
elles étaient de plomb. Sentez
l'impression de chaleur à
l'arrière du cou et des
épaules.*

4 *Frictionnez-vous énergiquement le crâne puis tapotez-le avec le bout des doigts. Tirez doucement sur vos cheveux puis relâchez.*

AROMATHÉRAPIE

Certaines huiles essentielles évacuent la tension tout en vous gardant alerte et concentré. Laissez-en tomber deux gouttes sur un mouchoir de papier et respirez lentement. C'est encore mieux si vous disposez d'un brûleur ou d'un diffuseur.

★ ***camomille*** *: si vous êtes un boulimique du travail ;*

★ ***bergamote*** *: pour vous redonner le sens de l'humour ou pour contrer le cafard du lundi matin ;*

★ ***orange*** *: pour vous remonter le moral ;*

★ ***lavande*** *: si vous devez affronter une situation difficile. À éviter au début de la grossesse ;*

★ ***mélisse*** *: si vous vous sentez pris de panique. À éviter durant la grossesse ;*

★ ***oliban*** *: si vous êtes sous l'effet d'une tension particulière.*

5 *Pincez votre mâchoire sur toute sa longueur, puis tapotez-la avec le bout des doigts. Serrez les mâchoires, ouvrez la bouche toute grande et dites (ou murmurez) « ahhhh ».*

6 *Fermez les yeux et respirez profondément pendant quelques minutes.*

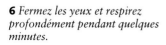

69

Soulager la fatigue oculaire

Les yeux deviennent vite stressés et tendus – particulièrement
dans les bureaux équipés de systèmes de chauffage central et
de conditionnement d'air. Ces exercices d'acupressure
peuvent vous aider à éliminer la tension. Ils sont également
utiles si vous avez les idées confuses ou si vous vous sentez
tendu.

*1 Placez les mains en
coupe sur les yeux pen-
dant quelques minutes.
Appliquez-les doucement
mais fermement, de
façon que vos yeux puis-
sent s'ouvrir mais qu'au-
cune lumière ne filtre à
travers vos doigts.*

*3 Déplacez maintenant vos
doigts vers les points situés de
chaque côté du nez, dans les
creux, juste au-dessus des
conduits lacrymaux. Encore
une fois, appliquez pendant
30 secondes une pression
constante.*

2 *Avec les index, appuyez sur les
points situés juste au-dessus des
sourcils, au milieu (en ligne avec
vos pupilles si vous regardez droit
devant vous). Appliquez une
légère pression pendant environ
30 secondes.*

4 *Avec le pouce et l'index, pressez sur chacun des côtés du nez, en allant des sourcils jusqu'au bout du nez.*

5 *Maintenant, appliquez une pression vers le haut sur les pommettes avec les index (à peu près au milieu de l'os malaire) pendant environ 30 secondes.*

6 *Finalement, remettez vos mains en coupe sur vos yeux, comme au début.*

LAISSER DÉRIVER LE REGARD AU LOIN

Travailler à l'ordinateur ou examiner entraîne souvent de la fatigue oculaire parce que les yeux se concentrent toujours sur une courte distance. Laissez dériver votre regard au loin chaque fois que vous le pouvez.

Remise en forme instantanée

Vous essayez de travailler mais vous n'arrivez pas à rester concentré sur votre travail. Ces simples exercices de yoga sont des moyens infaillibles de vous arracher à la torpeur que vous ressentez – vous sentirez des décharges d'énergie électriser tout votre corps.

ATTENTION

Si vous avez des problèmes de dos, consultez un médecin ou un spécialiste du yoga avant de faire ces exercices.

REMISE EN FORME DE BASE

Ces deux exercices peuvent être effectués partout. Enlevez vos chaussures si vous le pouvez ; sinon, les exercices seront quand même efficaces.

Étirement vers le haut
1 *Placez-vous en position de relaxation, les pieds écartés à la largeur des épaules, les bras sur les côtés. Fermez les yeux sans les crisper si vous le désirez.*

2 *Joignez les mains devant vous et amenez-les lentement au-dessus de votre tête.*

3 *Quand vos bras sont en extension complète, tournez les paumes de vos mains vers le haut. Assurez-vous que vos épaules sont détendues. Maintenez cette position.*

4 *Étirez-vous le plus possible. Inspirez et expirez profondément par le nez plusieurs fois. Ramenez lentement vos mains à la position de l'étape 1.*

Balancier vers les bas

1 *Debout, les pieds écartés à la largeur des épaules, les genoux détendus, les pieds vers l'avant, les yeux ouverts afin de pouvoir garder l'équilibre.*
2 *Joignez les mains derrière le dos, les paumes vers le sol.*

REMISE EN FORME AVANCÉE
Vous devez retirer vos chaussures pour l'exercice du balancier vers le bas. Si vous travaillez dans un bureau très conventionnel, vous devrez donc trouver un endroit tranquille et isolé. Cet exercice étire efficacement la colonne et génère un afflux d'énergie dans toutes les parties du corps. Demandez conseil à votre médecin ou à votre thérapeute en yoga si vous avez des problèmes de dos.

3 *Remontez lentement vos mains jointes derrière votre dos, aussi haut que vous le pouvez.*

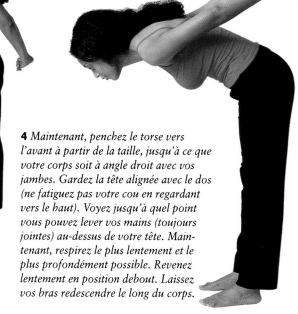

4 *Maintenant, penchez le torse vers l'avant à partir de la taille, jusqu'à ce que votre corps soit à angle droit avec vos jambes. Gardez la tête alignée avec le dos (ne fatiguez pas votre cou en regardant vers le haut). Voyez jusqu'à quel point vous pouvez lever vos mains (toujours jointes) au-dessus de votre tête. Maintenant, respirez le plus lentement et le plus profondément possible. Revenez lentement en position debout. Laissez vos bras redescendre le long du corps.*

Vous pouvez le faire

L'assurance est la clé du succès au travail… et partout
ailleurs. Si vous avez confiance en vous, vous pouvez à peu
près tout faire. C'est cependant parfois plus facile à dire qu'à
faire. Quand vous vous sentez un peu débordé ou que le
courage vous manque, essayez ces techniques simples qui
raviveront votre assurance.

POSTURE DE PRISE EN MAIN

L'humeur d'une personne est très fortement influencée par sa façon de se tenir.
Avoir l'air assuré rend effectivement plus
assuré.

1 *En position assise ou debout,
la tête haute et le dos droit.
Imaginez que votre tête est
retenue au plafond par un
bout de ficelle.*

2 *Laissez tomber les épaules.
Passez mentalement votre
corps en revue et assurez-
vous qu'il n'y a pas de
tension aux endroits
habituels – figure,
mâchoires, cou, épaules,
fesses, cuisses, mains.*

3 *Contractez les yeux à plusieurs
reprises et prenez un regard direct et
éveillé.*

> **ATTENTION**
> *Ne pas maintenir cette
> posture longtemps si vous
> souffrez d'hypertension, de
> maladie cardiaque, si vous
> êtes enceinte ou si vous avez
> vos règles.*

4 *Ouvrez la bouche toute grande et
bâillez pour étirer la mâchoire.
Souriez. Répétez-vous mentalement
une formule positive comme « Je
déborde de confiance en moi ; tout
me réussit » ou « À partir de maintenant, je réussirai tout ce que
j'entreprends ».*

ÊTRE AUSSI GRAND QU'UNE MONTAGNE

La position de la montagne présentée ici est adaptée du *Qi Gong*.
Elle est simple mais elle a un puissant effet sur l'humeur. Elle vivifie
le corps et l'esprit et donne un sentiment de puissance et d'enracinement. Trouvez un coin tranquille pour cet exercice – ou prétendez
que vous êtes en séance d'étirement intensif.

1 *Adoptez la position de départ de
base du* Qi Gong *(page 16). Rassem-
blez vos doigts et pointez-les vers le
sol.*

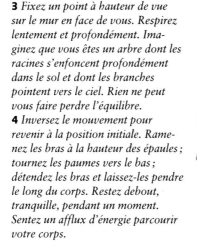

3 *Fixez un point à hauteur de vue
sur le mur en face de vous. Respirez
lentement et profondément. Imaginez que vous êtes un arbre dont les
racines s'enfoncent profondément
dans le sol et dont les branches
pointent vers le ciel. Rien ne peut
vous faire perdre l'équilibre.*
4 *Inversez le mouvement pour
revenir à la position initiale. Ramenez les bras à la hauteur des épaules ;
tournez les paumes vers le bas ;
détendez les bras et laissez-les pendre
le long du corps. Restez debout,
tranquille, pendant un moment.
Sentez un afflux d'énergie parcourir
votre corps.*

2 *À partir de la position
1, levez lentement les bras
et étirez-les latéralement.
Lorsqu'ils ont atteint la
hauteur des épaules,
tournez les paumes de vos
mains vers le haut et
continuez à lever les bras
jusqu'à ce qu'ils pointent
directement vers le haut
(parallèles à vos oreilles).
Gardez les épaules
détendues.*

75

Vaincre la timidité

La timidité peut être un cauchemar – particulièrement au travail. Dites-vous bien que chacun d'entre nous souffre, à un moment ou l'autre, de timidité, vous n'êtes pas seul. Essayez à la maison la technique de PNL que nous vous proposons. Elle vous permettra de sonder votre subconscient et de trouver la réponse à votre problème de timidité.

NÉGOCIER AVEC VOTRE CORPS

1 *Assoyez-vous ou étendez-vous confortablement. Fermez les yeux, respirez profondément et détendez-vous.*

2 *Prenez conscience de votre corps. Laissez ensuite une partie de votre corps se présenter à votre esprit – la première qui vous vient à l'idée. Vous allez entrer directement en communication avec elle.*

3 *Demandez qui est là ou qu'est-ce qui est là ? Ce peut être une forme, une créature quelconque ou une personne (une grosse tache noire, un serpent, votre mère ou un ancien professeur, par exemple) Demandez-lui quelle est son intention. Dans quel but se trouve-t-elle dans cette partie de votre corps ? Elle essaie peut-être de vous protéger, de vous préserver de l'embarras ou de vous empêcher de vous ridiculiser.*

4 *Après avoir obtenu sa réponse, demandez-lui si elle ne souhaite pas faire autre chose. Ne souhaite-t-elle pas être libre ? Écoutez sa réponse.*

5 *Si elle dit « oui », dites-lui merci d'avoir été là et libérez-la. Vous voudrez peut-être l'examiner attentivement avant de la*

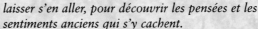

laisser s'en aller, pour découvrir les pensées et les sentiments anciens qui s'y cachent.

6 Si elle dit « non », c'est peut-être que vous n'êtes pas prêt à abandonner cette partie de vous. Examinez-la attentivement pour voir ce qu'elle recèle : vos propres jugements à votre égard et les attitudes ancrées qui vous limitent. Si elle ne veut pas partir, peut-être consentirait-elle à un changement constructif ? Faites cet exercice à diverses reprises afin d'aller au fond du problème et de réussir à libérer la chose, quelle qu'elle soit, qui contrôle cette partie de votre corps.

ÉLIXIRS FLORAUX DU DOCTEUR BACH

Ajoutez seulement une ou deux gouttes d'élixir à un verre d'eau et sirotez-le durant la journée chaque fois que vous en sentirez le besoin. Choisissez le remède qui correspond le mieux à vos symptômes. N'oubliez pas, vous pouvez combiner les différents élixirs, mais pas plus de cinq à la fois.

★ **Aigremoine :** vous semblez de bonne humeur et en pleine maîtrise de la situation mais au fond de vous-même, vous êtes inquiet, craintif et vous manquez d'assurance.

★ **Mimule :** vous êtes peureux et manquez de courage. Les choses de tous les jours vous effraient et vous êtes très timide.

★ **Mélèze :** vous manquez de confiance en vos capacités. Vous redoutez l'échec, c'est pourquoi vous préférez ne rien tenter.

★ **Orme :** vous avez habituellement confiance en vous mais vous trouvez parfois que la responsabilité est difficile à supporter et vous vous découragez.

★ **Charme :** vous sentez que vous n'avez pas assez de force pour la journée qui s'annonce, pour le travail qui vous attend. Vous remettez les choses au lendemain.

★ **Scléranthe :** vous êtes toujours indécis et hésitant.

Dissiper les désaccords

Rien de plus naturel que de rencontrer des divergences d'opinion et des désaccords. Cependant, par la technique de visualisation, vous pouvez empêcher ces événements de dégénérer et de créer des tensions dans votre milieu de travail. Dès que vous sentez poindre une situation difficile, suggérez une pause de cinq minutes avant de reprendre la discussion. Profitez de ce temps pour vous isoler et appliquer la technique qui suit.

■ Installez-vous, assis ou couché, et respirez calmement et profondément pendant quelques minutes.

■ Écrivez les raisons de la dispute. Laissez libre cours à votre ressentiment et à votre colère.

■ Pouvez-vous comprendre le point de vue de votre interlocuteur ? Dans la négative, prenez deux chaises, assoyez-vous sur l'une d'elles et imaginez que l'autre personne occupe la deuxième chaise. Dites-lui clairement pourquoi vous étiez si fâché. Ensuite, changez de chaise et imaginez que vous êtes l'autre personne. Quelles étaient ses raisons pour être en colère ? Entrez dans la peau de cette personne et exprimez ses doléances. Changez ainsi de chaise tant que vous n'avez pas compris les deux côtés de la question. Essayez d'accepter qu'il y ait toujours deux points de vue dans un conflit.

■ Même si votre opinion diffère encore de la sienne après cela, reconnaissez que votre interlocuteur a droit à son opinion. Si vous pouvez le faire sans risque, brûlez le papier où sont inscrites vos doléances.

■ Imaginez des rayons d'amour et de pardon émanant de votre chakra du cœur (centre de l'énergie) et rejoignant celui de l'autre personne. Visualisez-les d'un magnifique rose doré.

■ Retournez vers la personne avec qui vous vous disputiez et souriez-lui sincèrement. Proposez-lui de continuer la discussion après le travail devant une boisson chaude ou même un verre de vin. La situation aura sans doute totalement changé.

AIDE D'APPOINT

Si vous ne pouvez quitter votre lieu de travail ne serait-ce que cinq minutes, essayez ces moyens instantanés d'abaisser la tension qui vous apporteront une aide d'appoint. Le premier est une huile essentielle utilisée en aromathérapie ; le deuxième, un élixir floral.

★ *Laissez tomber deux gouttes d'huile de pin sur un mouchoir de papier et inspirez-en les effluves. Le pin favorise le pardon et l'équité ; les deux gouttes représentent les deux opposants. Évitez l'huile de pin si vous souffrez d'hypertension artérielle.*

★ *Déposez deux gouttes d'élixir floral de hêtre sous la langue. Le hêtre aide à désamorcer la colère et la violence et à freiner la critique. Il agira mieux encore si la personne avec qui vous êtes en désaccord en prend également.*

Réunions gagnantes

Lorsque vous planifiez une réunion importante ou délicate, optimisez vos chances de réussite grâce à l'arme secrète du *feng shui*. Cet art chinois de l'organisation de l'espace vous permet de vous faire valoir en toute subtilité.

RÉUNION OU DÎNER D'AFFAIRES

Qu'il s'agisse d'une rencontre avec des clients importants ou des collègues, il est essentiel que vous soyez aussi à l'aise que possible et que vous respiriez le calme et la confiance.

■ Choisissez une chaise tournant le dos à un mur relativement près. De cette place, vous devriez idéalement voir la porte (sans être directement devant celle-ci). Assurez-vous de ne pas tourner le dos à une porte ni à une fenêtre.

■ En signe de respect, invitez l'aîné ou le plus important de vos hôtes à s'asseoir en face de vous.

■ Le plus jeune participant devrait s'asseoir à votre gauche afin de favoriser l'harmonie des échanges.

■ Les autres personnes prennent les places restantes.

■ Si c'est possible, choisissez une table ronde, ce qui signifie que les affaires seront menées rondement, de manière enrichissante, harmonieuse et efficace.

■ Un vase ou un presse-papiers rond en verre fera un excellent centre de table, auquel vous ajouterez un arrangement floral ou des chandelles.

■ Placez trois pièces de monnaie sous le presse-papiers en verre et un miroir sous l'ensemble. La monnaie représente succès et mouvement sur le plan financier, tandis que le presse-papiers en verre renforce l'intuition et l'harmonie chez les participants.

■ Mettez la puissance de la couleur au service de votre réunion. Bien choisie, la couleur des chemises et des trombones peut être bénéfique : rouge pour la publicité ; jaune pour traiter avec des personnes importantes ; violet pour la finance ; vert et bleu pour la créativité et la croissance.

Créer des rapports harmonieux

Il y a des personnes que nous aimons d'emblée, d'autres qui appartiennent, dirait-on, à une autre planète. C'est une question d'énergie : certaines personnes sont littéralement sur la même longueur d'onde énergétique que nous. Dans notre vie privée, nous pouvons choisir nos amis ; au travail, cependant, nous devons composer avec des gens parfois difficiles. Voici comment y arriver, en utilisant les stratégies de la PNL.

LANGAGE CORPOREL

La PNL enseigne une façon d'entrer rapidement et facilement en rapport harmonieux avec quelqu'un en adoptant un langage corporel qui correspond au sien.

■ Soyez attentif à votre interlocuteur. Est-il assis ou debout ? A-t-il une attitude détendue ou contrainte ? A-t-il la tête

Le contact visuel est fondamental pour créer des rapports harmonieux. Essayez d'établir un niveau de contact visuel commun, mais sans que cette exigence interfère avec la communication.

droite ? Se dandine-t-il ou incline-t-il la tête ? A-t-il le dos
voûté et la tête basse ? Sans l'imiter, adoptez une posture
rappelant subtilement la sienne.

■ Laissez votre interlocuteur marquer les limites de son
espace personnel. S'il se rapproche, ne vous éloignez pas,
mais ne forcez pas sa « bulle ».

■ Vous regarde-t-il dans les yeux ? Intensément ? Essayez de
faire de même.

■ Soyez attentif à sa façon de respirer. Respire-t-il du haut
de la poitrine, de l'abdomen ou d'un point entre les deux ?
Si vous le pouvez, adoptez le même type de respiration.

■ Comment parle-t-il ? Vite ou lentement ? D'une voix aiguë,
grave et veloutée, mélodieuse et fluide ? Ne le parodiez pas,
mais si votre élocution est aux antipodes de la sienne,
adaptez-la un peu.

LANGAGE PARLÉ

Observez le langage utilisé par votre interlocuteur. La plupart
des gens privilégient un de leurs sens dans leur rapport au
monde : on dit qu'ils sont visuels, auditifs ou kinesthésiques
(toucher). On peut deviner le sens dominant des gens en
observant les expressions qu'ils emploient.

■ Le visuel : « Je vois ce que tu veux dire. » « Je vois le tableau. »
« Selon mon point de vue… » « Je vois d'un mauvais œil… »

■ L'auditif : « Je t'écoute. » « On est sur la même longueur
d'onde. » « Dis ce que tu penses ! » « Qu'est-ce que tu en dis ? »

■ Le kinesthésique : « Je sens que… » « Tu as mis le doigt
dessus. » « On tient le bon bout. » « Il faut prendre le taureau
par les cornes. »

Vous pouvez « rejoindre » une personne en utilisant des mots
et des expressions qu'elle reconnaît. Ainsi, vous la mettez à
l'aise et vous lui faites sentir que vous êtes sur la même
longue d'onde.

*L'espace personnel est important.
Essayez de laisser l'autre personne
établir ses limites, mais ne la laissez
pas empiéter sur votre espace.*

Éloigner le cafard

Tout le monde ou presque peut avoir un coup de cafard de temps en temps. On veut fuir et se cacher, mais il faut faire face aux obligations de la journée. L'homéopathie, l'aromathérapie et les essences florales peuvent aider à chasser la déprime.

ÉLIXIRS FLORAUX DU DOCTEUR BACH

Ces remèdes, mis au point par le docteur Edward Bach dans les années 1930, ressemblent à des remèdes homéopathiques. Ils sont faits d'extraits de fleurs sauvages. Ajoutez-en deux gouttes dans un verre d'eau et buvez à petites gorgées quatre fois par jour ou au besoin.

REMÈDE	SYMPTÔMES
MOUTARDE	*Vous êtes déprimé sans raison apparente, comme si un nuage flottait au-dessus de vous.*
MARRONNIER BLANC	*Des pensées inquiétantes tournent et retournent sans arrêt dans votre esprit.*
ORME	*Vous êtes habituellement confiant, mais vous vous sentez dépassé par la pression due au travail, ce qui vous afflige et vous abat.*
AJONC	*Vous êtes pessimiste et ne voyez que les résultats négatifs. Vous avez perdu espoir.*
ÉGLANTIER	*Vous êtes démotivé et résigné. Vous vous sentez apathique et n'êtes pas intéressé à changer les choses.*
SAULE	*Vous vous repliez sur vos malheurs et vos sentiments négatifs. Vous avez tendance à être rancunier et amer, à trouver difficile de pardonner et d'oublier.*
GENTIANE	*Vous êtes pessimiste et doutez de vous-même. Un contretemps ou une difficulté vous plonge dans la dépression et le cafard.*

AROMATHÉRAPIE

Essayez ceci : déposez quelques gouttes d'une des huiles suivantes sur un mouchoir de papier et inspirez. Si c'est possible, servez-vous d'un diffuseur ou d'un brûleur ou encore aspergez un gant de toilette de une ou deux gouttes et frottez-vous-en le corps sous la douche ou dans la baignoire – en évitant le visage et toute autre région sensible.

REMÈDE	SYMPTÔMES
BOIS DE CÈDRE	*Stimule l'esprit et donne de la vigueur. Peut aider à calmer l'anxiété ou la peur et à vaincre la dépression. À éviter pendant la grossesse.*
LIME	*Rafraîchissante et vivifiante, idéale quand vous êtes fatigué, apathique, anxieux et déprimé. À éviter si vous avez la peau sensible.*
NÉROLI	*Revitalisant, il rassure et met de l'ordre dans les émotions. Idéal si vous avez subi un choc ou si vous vous sentez tendu, déprimé ou au bord de la panique.*
BERGAMOTE	*Apaisante pour les nerfs et vivifiante pour l'esprit. Équilibre les énergies. Idéale si vous être tendu, anxieux, déprimé ou triste.*

HOMÉOPATHIE

Voici les trois remèdes homéopathiques classiques contre la dépression. Choisissez celui qui correspond le mieux à vos symptômes. Essayez de le prendre, habituellement sous forme de granule, à la trentième dilution (30CH). Si vous voyez que vous n'arrivez pas à surmonter la dépression, consultez un médecin.

AURUM	*Vous êtes fondamentalement idéaliste, mais vous vous sentez totalement dévalorisé, dégoûté de vous-même et de votre vie. Vous avez peur de l'échec. Vous êtes hypersensible au bruit et à l'agitation.*
NATRUM MURIATICUM (NAT MUR)	*Vous êtes triste mais vous ne pouvez pas pleurer. Vous vous repliez sur vos malheurs passés. Vous n'aimez pas la compagnie mais ne voulez pas non plus être seul.*
SÉPIA	*Vous vous sentez minable, défait, accablé, irascible, au bord des larmes. Vous devenez anxieux quand vient le soir.*

Surmonter les déceptions

Dans la vie, les choses ne vont pas toujours comme on le souhaite. Nous vivons tous, à l'occasion, déceptions, rejet et échecs. L'exercice de visualisation suivant est une forme d'autohypnose qui peut vous aider à surmonter les déceptions, à relativiser les problèmes et à retrouver énergie et équilibre.

1 Isolez-vous. Assoyez-vous ou étendez-vous confortablement. Fermez les yeux.

2 Prenez conscience de votre respiration. Laissez-la devenir de plus en plus profonde et détendue. En inspirant, remarquez que votre abdomen se soulève ; en expirant, observez qu'il redescend. Il est important de vous concentrer sur votre respiration plutôt que sur votre problème.

3 Ensuite, imaginez que vous êtes dans un grand espace libre. Devant vous se trouve une grande roue semblable à un manège de foire. Regardez-la tourner jusqu'à ce qu'elle s'arrête, petit à petit. Une illusion d'optique vous fait croire qu'elle recule, alors qu'elle continue d'avancer. Regardez les personnes installées dans la roue monter très haut dans les airs, puis redescendre au point de frôler le sol.

4 Suivez la roue des yeux pendant quelques minutes, en tournant la tête également. Quand la roue monte, répétez-vous : «Je monte» et, quand elle descend, « Je descends ». Laissez le calme, la sérénité, le détachement vous envahir. Vous descendez ? Peu importe puisque vous allez immanquablement finir par remonter. Sentez la paix qui vous habite.

5 Pour renforcer cette sensation de paix, choisissez une formule positive qui agit sur vous. Par exemple, « Je suis calme, je suis calme » ou « Que je monte ou que je descende, tout est pour le mieux » ou « En haut, en bas, calme et sérénité ». Répétez-vous cette formule, silencieusement ou à voix haute, tout en suivant le mouvement de la roue.

6 Arrêtez ensuite vos mouvements de tête. Affirmez que vous ne vous laisserez plus jamais abattre par l'échec. Rappelez-vous que chaque déception, chaque revers, chaque contre-temps n'est qu'un mouvement descendant de la roue. Les plus grands succès ne se sont pas faits sans échecs. Ce qui vous arrive n'est qu'un pépin.

7 Rappelez-vous vos objectifs et affirmez de nouveau votre volonté de les atteindre. Ouvrez les yeux, levez-vous, étirez-vous et tapez des pieds pour vous mettre en contact avec la terre. Préparez-vous quelque chose à boire ou même à manger pour revenir à la réalité. Soyez assuré que votre chance va tourner.

NOTE. Si vous savez que vous avez souvent du mal à accepter les déceptions et les échecs, faites cet exercice de visualisation régulièrement pour obtenir les meilleurs résultats possibles. Autrement, faites-le seulement en cas de déprime.

Changer d'humeur par la musique

Vous voulez changer d'humeur rapidement ? La musicothérapie, une technique simple mais puissante peut transformer une humeur négative en un rien de temps (si vous le pouvez, essayez-la au travail). Elle peut aussi vous aider à vaincre le stress et à refaire vos énergies.

LA MISE EN RÉSONANCE

La mise en résonance est utilisée en musicothérapie. Il s'agit de vous fondre ou de vous synchroniser avec les pulsations de la musique. Faites d'abord coïncider votre humeur du moment avec une musique qui la reproduit fidèlement. Puis, progressivement, modifiez cet état d'esprit en modifiant votre choix musical.

ENREGISTRER UNE MISE EN RÉSONANCE

Vous pouvez utiliser la mise en résonance pour modifier à peu près n'importe quel type d'humeur. Vous aurez besoin d'un magnétophone à bande magnétique ou à cassette ainsi que d'un ruban ou d'une cassette de 30 à 45 minutes par côté.

■ Choisissez deux ou trois pièces de musique qui correspondent à votre humeur du moment (doute, cafard, angoisse, etc.) et enregistrez-les au début du ruban ou de la cassette. Si vous êtes déprimé, la musique choisie sera probablement sombre ou lugubre ; si vous êtes angoissé, elle sera peut-être grinçante ou très rapide.

■ Choisissez ensuite trois ou quatre pièces musicales correspondant en quelque sorte à un moyen terme entre l'humeur que vous voulez changer et celle que vous voulez adopter (confiance, élévation spirituelle, calme, etc.). En d'autres termes, une musique moins sinistre ou moins tendue et plutôt modérée. Commencez par la pièce la plus sombre et passez de l'une à l'autre jusqu'à la plus joyeuse.

■ Terminez votre montage par trois ou quatre pièces musicales qui correspondent d'aussi près que possible à l'humeur souhaitée. Par exemple, si vous désirez atteindre un état d'élévation spirituelle, vous pourriez terminer par l'« Alléluia » du *Messie* de Haendel.

■ Écoutez votre enregistrement de mise en résonance chaque fois que vous en avez besoin. Vous pouvez l'utiliser comme fond musical en tout temps.

AUTRES TECHNIQUES MUSICALES

■ Si vous êtes en colère ou irrité, une petite musique douce vous irritera sans doute davantage. Essayez donc plutôt d'identifier la source véritable de votre colère en écoutant une musique héroïque telle que « Mars », de la suite pour orchestre *The Planets*, de Holst, ou l'ouverture de *Guillaume Tell*, de Rossini.

■ Quand vous vous sentez tendu et à bout de nerfs, écoutez de la musique apaisante. Le mouvement lent d'un concerto pour instruments à cordes convient parfaitement. Vivaldi et Telemann sont tout indiqués.

■ Pour augmenter votre estime de soi, écoutez de la musique instrumentale qui élève l'esprit.

Procurez-vous un baladeur pour pouvoir apporter votre musique avec vous partout où vous allez.

89

CHAPITRE SIX

Faire une pause

La pause dîner. Point central, crucial même, de la journée. Un temps d'arrêt pour faire le plein d'énergie et restaurer vos forces vitales. Si l'avant-midi s'est bien passé, il peut être facile de laisser se dérouler l'après-midi : faites une pause de quelques minutes pour vous rafraîchir et vous réénergiser. Si, au contraire, vous avez connu un avant-midi exécrable, tout n'est pas perdu. Imaginez que la journée est formée de deux parties complètement indépendantes : tournez le dos à l'avant-midi et concentrez-vous sur la demi-journée toute neuve qui commencera bientôt.

Tout est possible quand on a la bonne attitude. La pause du dîner est le moment idéal pour faire une méditation de cinq minutes afin de libérer les tensions accumulées jusque-là, ou encore pour exécuter un court exercice de yoga qui chassera le stress et vous redonnera de l'énergie pour entreprendre l'après-midi. Si vous vous sentez perturbé ou irritable, quelques exercices de respiration calmants feront merveille.

Des exercices traditionnels chinois de *Qi Gong* que vous pouvez exécuter au bureau équilibreront vos énergies et stimuleront votre système. Par ailleurs, si vous pouvez vous isoler, pourquoi ne pas utiliser le pouvoir du son pour vous redonner la maîtrise de votre journée ?

Vous devez également vous ménager un peu de temps pour prendre un repas ou un goûter santé. Contrairement au petit déjeuner qui doit vraiment être assez copieux, le dîner répond à des besoins variables selon les personnes et, pour des raisons pratiques, il ne constitue pas toujours un repas complet. Les aliments que vous choisissez sont donc d'une extrême importance. Si vous prenez des aliments inappropriés, vous serez somnolent tout l'après-midi. Si vous prenez le goûter optimal, vous serez vif, alerte et plein d'énergie.

Vos choix alimentaires peuvent même améliorer votre mémoire ou votre rendement intellectuel. Vous pouvez prendre un déjeuner d'affaires sans vous sentir ensuite endormi et repu : faites des choix sages et vous serez parfaitement préparé à entreprendre l'après-midi en lion.

À GAUCHE : Cari de légumes – recette p. 153.

Faire le plein d'énergie

Les aliments que vous consommez peuvent-ils changer votre humeur en même temps qu'ils comblent votre faim ? Les plus récentes recherches révèlent que vous pouvez aussi bien vaincre la dépression qu'améliorer votre mémoire en choisissant simplement les aliments appropriés.

LES ALIMENTS ÉNERGÉTIQUES
Pour bénéficier d'un regain d'énergie, choisissez :
des aliments particulièrement riches en protéines – crevettes, poisson, pétoncles, moules (sauf pour les femmes enceintes), poitrine de dinde, lait écrémé, yogourt allégé ou maigre ;
des aliments contenant du bore – fruits (pomme, poire, pêche, raisin), noix, brocoli, légumineuses.

LES ALIMENTS DE LA MÉMOIRE
Pour améliorer votre mémoire, choisissez :
des aliments à haute teneur en thiamine – germe de blé, son, noix ou céréales enrichies en vitamines ;
des aliments contenant de la riboflavine – amandes, céréales enrichies en vitamines, lait, foie (sauf pour les femmes enceintes) ;
des aliments contenant du carotène – légumes vert foncé, légumes feuilles, fruits et légumes orange ;
des aliments riches en zinc – fruits de mer (sauf pour les femmes enceintes), légumineuses, céréales, grains entiers.

LES DÎNERS D'AFFAIRES
Un bon menu pour améliorer votre vivacité d'esprit et votre rendement intellectuel : salade de légumes feuilles, tomate, feta, tofu au four et vinaigrette sans gras ; petit pain de blé entier ; pâtes de blé entier aux crevettes et brocoli ; salade de fruits ; *smoothie* à la pêche fait avec du yogourt et du lait non gras.

Sauté de fruits de mer – recette p. 153.

CE QU'IL FAUT ÉVITER
★ *Gras animal saturé (viandes rouges, bacon, saucisses, etc.)*
★ *Beurre*
★ *Alcool*
★ *Caféine (y compris le chocolat et les boissons gazeuses)*
★ *Tous les aliments transformés*
★ *Édulcorants artificiels souvent utilisés dans les aliments de régime*
★ *Aliments contenant des additifs alimentaires, des colorants ou des agents de conservation*

Recharger vos batteries

La méditation avec les paumes des mains sur les yeux, ou *palming*, offre à tout le système une pause éclair accessible en tout temps et en tout lieu. Vous sentirez votre rythme cardiaque ralentir, votre respiration devenir régulière et détendue. Vous sentirez les tensions s'échapper de votre corps.

LE PALMING

1 *Assis, les coudes sur le bureau, posez le visage dans les mains en plaçant les paumes en coupe sur les yeux. N'appuyez pas – le contact doit être léger.*

2 *Détendez les épaules et plongez dans une apaisante obscurité.*

3 *Pendant que vous êtes assis calmement, sentez la douce chaleur de vos mains se communiquer à chaque cellule de vos yeux. L'énergie vitale transmise à travers vos paumes inonde vos yeux d'énergie, de sagesse et d'une clarté renouvelée. Affirmez que vous verrez avec clarté et réalisme tout l'après-midi.*

4 *Visualisez ensuite votre troisième œil au milieu de votre front (siège de l'intuition et de la conscience psychique). Sentez l'énergie envahir cette zone. Affirmez que vous ferez appel à votre intuition pendant tout le reste de la journée – vous ferez les bons choix et prendrez les bonnes décisions.*

5 *Reposez-vous ainsi calmement aussi longtemps que possible.*

6 *Revenez à la réalité. Tapez des pieds pour vous remettre en contact avec le quotidien.*

Pour vous rafraîchir et récupérer

La respiration rafraîchissante du yoga est régénératrice et très apaisante. Elle est aussi idéale pour les chaudes journées d'été lorsque la chaleur vous accable. Il s'agit de faire pénétrer de l'air frais dans l'organisme, qui apaise l'énergie surchauffée de votre corps.

SOUFFLE RAFRAÎCHISSANT

1 *Assoyez-vous confortablement. Placez vos mains délicatement sur vos genoux. Fermez les yeux et prenez conscience de votre façon habituelle de respirer.*

2 *Roulez la langue de manière à former un tube, en la laissant poindre légèrement entre vos lèvres. Si vous ne pouvez pas le faire, entrouvrez simplement la bouche pour permettre à l'air de pénétrer au-dessus de la langue.*

3 *Aspirez lentement et profondément par l'espace formé au milieu de la langue. Vous sentirez le passage de l'air frais.*

4 *Expirez ensuite de la même façon, lentement et profondément. Continuez ainsi pendant quelques minutes, tant que vous vous sentez à l'aise. Vous devriez remarquer un effet rafraîchissant le long de la colonne vertébrale irradiant ensuite le reste du corps.*

5 *Revenez à la respiration normale en vous concentrant sur votre souffle naturel. De nouveau, prenez conscience de votre environnement.*

6 *Dirigez votre regard vers le sol, puis ouvrez lentement les yeux. Concentrez-vous sur vos sensations : restez assis pendant quelques moments et remarquez comment l'énergie s'est déplacée dans votre corps.*

Ne vous en faites pas si vous n'êtes pas capable de rouler votre langue : l'exercice est tout aussi efficace autrement.

Rééquilibrer le corps et l'esprit

Au milieu de la journée, vous avez besoin d'augmenter votre niveau d'énergie et de secouer les tensions de l'avant-midi. Cette série de mouvements de yoga vous permettra de vous étirer et de vous décrisper tout en améliorant votre digestion et en augmentant votre niveau énergétique général. Faites ces exercices avant de manger.

> **ATTENTION**
> *Vérifiez auprès de votre médecin avant d'essayer cette série de mouvements si vous êtes enceinte ou si vous souffrez d'hypertension artérielle, de maladie cardiaque ou de problèmes de dos ou d'articulations.*

UNE PLUIE D'ÉNERGIE RAFRAÎCHISSANTE
Lorsque cette routine est devenue familière, répétez-la plusieurs fois, plus ou moins rapidement, selon votre humeur.

1 *Prenez la posture de base du Qi Gong (voir page 16), croisez les mains délicatement sur l'abdomen, juste sous le nombril, et inspirez profondément par le nez.*

2 *Expirez par la bouche en émettant un « ha ! » explosif. En même temps, projetez la jambe droite vers l'avant. Levez les bras, paumes tournées vers l'intérieur (posture du guerrier). Votre genou doit être juste au-dessus de votre cheville et votre regard doit porter droit devant. Inspirez par le nez tout en ramenant la jambe à la posture de base (étape 1). Répétez l'exercice du côté gauche.*

3 *Expirez par la bouche en faisant un « ha! » en même temps que vous écartez le pied droit vers la droite en pliant les deux jambes en position semi-accroupie. En même temps, étendez les bras vers l'extérieur à la hauteur des épaules, en élevant les avant-bras, mains pointées vers le haut, paumes vers l'intérieur. Inspirez par le nez en revenant à la posture de base (étape 1). Répétez en commençant par le pied gauche.*

4 *Joignez les mains devant l'abdomen ; en inspirant, élevez-les au-dessus de la tête, paumes tournées vers le haut. Expirez, pliez les genoux et baissez les bras vers l'abdomen. Répétez trois ou quatre fois.*

5 *Redressez les genoux et revenez à la posture de base (étape 1), mains le long du corps. Fermez les yeux et sentez votre énergie.*

97

Lâcher prise après une matinée difficile

La matinée a été difficile et vous appréhendez l'après-midi. Vous avez désespérément besoin de lâcher prise et de rééquilibrer votre énergie pour affronter le reste de la journée de travail. Tapotements et respirations sont des moyens simples pour stimuler et équilibrer votre énergie.

LES TROIS TAPOTEMENTS

La technique chinoise du *Qi Gong* nous enseigne que des tapotements rythmiques en divers points du corps peuvent créer une vague vibratoire dans les tissus profonds et stimuler ainsi la circulation sanguine tout en équilibrant l'ensemble du flux énergétique. Voici les « trois points de tapotement » classiques.

TAPOTEMENT DE LA TÊTE ET DU COU
1 *Frottez les paumes l'une contre l'autre avec vigueur pour les réchauffer.*
2 *Fermez les poings en refermant les pouces sur les index.*

3 *Avec les jointures et le dessous du poing, tapotez vigoureusement la partie arrière du cou et de la tête. Remontez des deux côtés des vertèbres, d'abord le long du cou depuis les épaules jusqu'à la base du crâne, puis le long du crâne en remontant jusqu'au front avant de redescendre le long de la tête et du cou. Suivez la ligne médiane, mais faites les tapotements tout le long de la tête.*

TAPOTEMENT DES REINS ET DES SURRÉNALES

Avec le dos du poing, tapotez doucement les reins gauche et droit alternativement, de haut en bas. Les reins sont situés juste au-dessus de la taille, derrière l'abdomen, de chaque côté de la colonne vertébrale. Tapotez chaque région pendant environ deux minutes.

TAPOTEMENT DU THYMUS

Avec les jointures médianes d'une main, tapotez le centre de la poitrine en suivant le rythme de un coup fort, deux coups légers (UN, deux, trois, UN, deux, trois). Répétez pendant environ deux minutes.

99

Pour une maîtrise totale – la méditation sonore

Y a-t-il un endroit au travail où vous pouvez vous retirer sans être dérangé ? Si c'est le cas, vous avez la possibilité de rééquilibrer votre énergie pendant votre pause-repas. Le son est un guérisseur qui agit en profondeur, et le fait de psalmodier certains sons peut créer un équilibre parfait entre les sept chakras – les centres énergétiques du corps.

PSALMODIER LES CHAKRAS

1 *Assoyez-vous dans une position confortable et fermez les yeux. Accordez-vous quelques instants simplement pour prendre conscience de votre respiration.*

2 *Inspirez profondément et concentrez votre attention sur le chakra racine, à la base de la colonne vertébrale. Imaginez la couleur rouge et psalmodiez un « ouhhh » très grave. Sentez vibrer le son autour de la base de la colonne vertébrale et des parties génitales ; ces vibrations vous mettent en contact avec la terre et vous apportent la stabilité.*

3 *Continuez en passant d'un chakra au suivant – le tableau ci-contre indique les sons à émettre, les couleurs à visualiser, les sensations à imaginer. Les sons correspondant aux premiers chakras sont graves ; plus vous montez, plus ils deviennent aigus.*

4 *À la fin, passez au chakra coronal, une sphère lumineuse blanc doré au sommet de votre tête. Un « ĩĩ » strident, la plus haute note que vous pouvez atteindre, correspond à ce chakra. En même temps que vous psalmodiez ce son, visualisez-vous en train de vous brancher sur votre moi le plus élevé et sur votre conception du spirituel. Visualisez ensuite tous les chakras reliés entre eux par l'énergie du son qui descend dans tout votre corps en y apportant l'équilibre.*

5 *Restez assis pendant quelques instants, le temps de revenir à la normale. Tapez des pieds et ouvrez les yeux. Prenez une collation après cet exercice pour vous mettre parfaitement en contact avec la terre.*

LES SEPT CHAKRAS

Les chakras sont les centres d'énergie vitale du corps. Ils sont au nombre de sept (voir à droite), depuis le chakra racine, à la base de la colonne vertébrale, jusqu'au chakra coronal, juste au-dessus de la tête. Quand tous nos chakras vibrent en harmonie, nous connaissons une parfaite santé et un bien-être total.

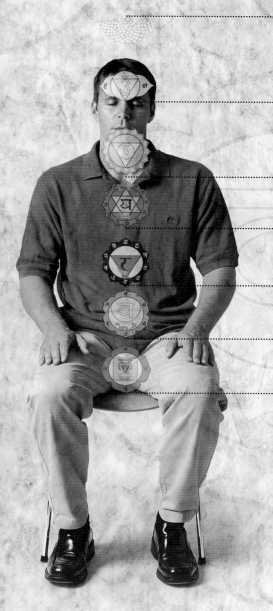

Chakra coronal : *juste au-dessus de la tête.*
Son : « îîî ». Couleur : blanc doré. Sentiment :
contact avec le moi le plus élevé et le spirituel.

Chakra du troisième œil : *entre les sourcils.*
Son : « ééé ». Couleur : indigo. Sentiment :
introspection, connaissance, intuition.

Chakra de la gorge : *gorge. Son : « aï ».*
Couleur : bleu. Sentiment : calme, communication
claire.

Chakra du cœur : *cœur. Son : « âââ ».*
Couleur : vert. Sentiment : compassion, amour de
soi et des autres.

Chakra du plexus solaire : *entre le sternum et le*
nombril. Son : « ôôô ». Couleur : jaune.
Sentiment : puissance personnelle.

Chakra du sacrum : *parties génitales.*
Son : « ooo ». Couleur : orange. Sentiment : fierté,
esprit positif.

Chakra racine : *à la base de la colonne*
vertébrale. Son : « ouhhh ». Couleur : rouge.
Sentiment : contact avec la terre et stabilité.

Troisième partie – Après le travail

Loin du travail, les soirées et les week-ends vous appartiennent.
Détendez-vous, amusez-vous, faites ce qu'il vous plaît.

CHAPITRE SEPT

Laisser le travail derrière vous

La fin de la journée de travail est un intervalle étrange. Il est facile, bien sûr, d'enfiler son manteau et de quitter le bureau vite fait, impatient de profiter de la soirée qui vient. Mais arrêtez-vous un instant.

Vous êtes à un point charnière de la journée. Psychologiquement, la manière de quitter le travail est très importante car elle aura une incidence à la fois sur votre soirée et sur votre prochaine journée de travail. Prenez donc quelques minutes pour accorder à ce moment toute l'attention qu'il mérite.

Cinq minutes de planification et d'organisation personnelle en prévision de la prochaine journée de travail vous rapporteront énormément en termes de temps et d'efficacité. Des techniques simples de gestion du temps vous permettent en effet de maximiser votre efficacité, de sorte que vous quitterez le travail en toute tranquillité, sachant que vous aurez tout bien en main le jour suivant.

Votre bureau peut devenir un temple de créativité personnelle. Prenez quelques minutes pour le réaménager et choisir vos propres objets à succès et vous l'aurez transformé en un lieu de travail inspirant.

Ensuite, il est bon de prendre quelques minutes pour aller concrètement de la période de travail vers le temps privé, passant, pour ainsi dire, de votre personnalité professionnelle à votre personnalité privée. Si la journée a été dure, des exercices de *reiki* vous apporteront le calme et la détente et vous permettront d'éliminer les tensions pour mieux profiter de la soirée.

Des exercices de yoga et de visualisation bien simples aident à décrocher, tandis qu'un petit rituel de « retour à la maison » permet au corps et à l'esprit de prendre conscience que la journée de travail est bel et bien terminée.

Planifier la journée du lendemain

Si vous voulez commencer une nouvelle journée avec énergie et vigueur, planifiez-la la veille. Cette habitude ne demande que cinq minutes à la fin de la journée, mais elle vous permet de gagner des heures le lendemain. Elle vous permet également de quitter le bureau l'esprit calme, centré, ayant la situation bien en main.

PLANIFICATION EN CINQ MINUTES

1 *Débarrassez votre bureau. Vérifiez tout ce qu'il y a sur votre bureau. Jetez tous les rebuts. Copiez toutes les notes importantes dans un cahier ou dans votre ordinateur. Copiez les numéros de téléphone essentiels dans votre carnet d'adresses. Classez les documents. Époussetez votre bureau avec un linge contenant quelques gouttes d'huile de pamplemousse.*

FAIRE DE VOTRE BUREAU UN SANCTUAIRE DE CRÉATIVITÉ

Prenez cinq minutes pour transformer votre bureau. Quelques objets bien choisis peuvent faire d'un simple espace de travail un haut lieu de la créativité, de l'inspiration et du bien-être au travail. Choisissez des objets qui ont une signification pour vous. Voici quelques suggestions.

★ *Des cristaux, parce qu'ils ont belle apparence et augmentent votre énergie. Gardez-les sur votre ordinateur ou autour de votre bureau. Ils ont des qualités spécifiques: essayez la citrine pour apporter la confiance et l'optimisme et pour attirer la richesse; le quartz rose pour l'harmonie; l'héliotrope pour la prise de décision; la cornaline pour la motivation; l'œil-de-tigre pour la créativité; le jade pour favoriser la concentration et voir les choses dans une juste perspective.*
★ *Une chandelle (ou une petite lampe) favorise et maintient un haut niveau de concentration.*
★ *Des plantes et des fleurs donnent de la vie et de l'énergie, ont des effets bénéfiques en termes de feng shui et protègent votre environnement immédiat (voir pages 62-63).*

★ *Des figurines: un bouddha pour la sérénité; une idole pour le sentiment d'être en contact avec la terre; une déesse Shiva dansante pour l'énergie; un dieu égyptien Thot pour la sagesse.*
★ *Des galets, bois de mer, coquillages ou plumes bien choisis rappellent les merveilles de la nature.*
★ *Des photographies ou cartes postales encadrées représentant des personnes, des lieux ou des objets qui vous inspirent. Ou encore, encadrez des pensées stimulantes.*
★ *Une pochette de pierres de runes, un Yi King ou un jeu de tarot pour tenir une éventuelle séance de divination.*
★ *Votre propre tasse à café ou à thé. Gardez votre eau dans une carafe attrayante et buvez dans un verre qui vous appartient.*

---

2 *Vérifiez votre agenda. Que devez-vous faire demain ?
Faites une liste de tous les rendez-vous et des tâches que vous
devrez accomplir. Y a-t-il des anniversaires ou des journées
importantes à venir ? Qu'avez-vous prévu pour le lunch ?*
3 *Détaillez votre journée. Procurez-vous un agenda de
bureau divisé en plages horaires – ou confectionnez votre
propre plan de la journée. Inscrivez tout d'abord les réunions
et les rendez-vous. Ajoutez le temps de déplacement.
Examinez ensuite vos tâches. Combien de temps (réel)
demandera chacune d'elles ? Inscrivez le temps nécessaire
pour les plus importantes, par ordre décroissant.*
4 *Prévoyez des plages de « temps personnel ». Essayez
d'inscrire un certain nombre de périodes pour vous-même,
que ce soit pour cinq minutes de yoga ou de relaxation ou
pour faire avancer un projet à long terme.*
5 *Faites une liste de « tâches pour temps libres » : télé-
phones, lettres à écrire, courses à faire, mise à jour de
dossiers. Mettez-la de côté.*
6 *Quittez le bureau. Vous savez maintenant que la
journée suivante est bien organisée. Vous pouvez
vous détendre : tout est sous contrôle.*
7 *Le lendemain. Essayez de suivre votre horaire à
la lettre. Si vous avez un laps de temps de
10 minutes avant la tâche suivante, consacrez-le
à votre liste de « tâches pour temps libres » ou à
l'une de nos techniques énergisantes.
Félicitations ! Vous avez gagné du temps !*

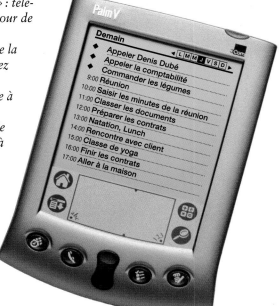

Faire une coupure nette

Le travail est fini: pourquoi y pensez-vous encore? Si vous vous apercevez, de retour à la maison, que votre esprit est resté accroché au bureau, vous avez besoin de faire une coupure. Des étirements et des respirations de yoga vous aideront à vous revitaliser physiquement et mentalement.

OUBLIER LA JOURNÉE DE TRAVAIL PAR DES ÉTIREMENTS

Enlevez vos chaussures et étirez vos orteils. Enlevez votre veste ainsi que tout accessoire (ceinture ou bijou) inconfortable. Choisissez un endroit paisible et assez grand pour pouvoir vous étirer.

1 *Prenez la posture de base du Qi Gong (voir page 16).*

2 *Bouche fermée, inspirez rapidement par le nez comme pour renifler. En même temps, levez les bras d'abord devant vous, puis très haut de chaque côté de la tête (comme pour signifier: « Je me rends »).*

3 *Inspirez de nouveau et, paumes tournées vers le sol, étendez les bras de chaque côté, puis ramenez-les le long du corps dans un geste ample (à la manière d'un chef d'orchestre très démonstratif).*

4 *Inspirez une troisième fois en levant les bras.*

5 *Vous pouvez enfin expirer par la bouche en émettant un « ha ! » explosif en même temps que vous laissez tomber les bras vers le sol. Pliez la taille et les genoux et laissez-vous pendre comme une poupée de chiffon. Détendez la tête, le cou, les épaules, les bras et les mains.*

Inspirez par le nez en levant les bras au-dessus de la tête puis en les ramenant le long du corps pour revenir à la posture de base.

6 *Répétez les étapes 2 à 5 plusieurs fois en enchaînant bien les mouvements. Donnez à vos gestes le plus d'ampleur possible. Imaginez que vous jetez au loin les soucis de la journée quand vous lancez les bras en haut, en bas, de chaque côté. Laissez vos tensions s'en aller. Lâchez prise.*

À la fin, revenez à la posture de départ et fermez les yeux. Vérifiez votre énergie. Vous devriez vous sentir l'esprit clair et le corps revigoré, prêt à entreprendre la soirée.

Changer d'état d'esprit

Offrez-vous un petit rituel de retour à la maison pour vous aider à changer d'état d'esprit et pour signifier à votre subconscient que la journée de travail est terminée et que la soirée commence.

RITUEL DE RETOUR À LA MAISON

1 En franchissant le seuil de votre porte, prenez conscience que vous passez du monde extérieur au monde intérieur. Accrochez votre manteau, déposez votre porte-documents, retirez vos chaussures et enfilez des pantoufles ou marchez nu-pieds.

2 Prenez une douche fraîche. Mettez deux gouttes d'huile de lavande sur un gant de toilette (sauf en début de grossesse) ou essayez la bergamote (sauf si vous avez la peau sensible). Imaginez que toutes les tensions de la journée sont emportées avec l'eau. Au sortir de la douche, vous êtes littéralement une autre personne.

3 Choisissez des vêtements confortables qui conviennent à votre « personnalité privée ». Si vous restez à la maison, une tenue de détente fera l'affaire. Si vous sortez, vous choisirez une tenue qui reflète votre véritable personnalité. Exprimez-vous.

4 Regardez-vous dans le miroir, dites-vous : « Je m'aime et je me trouve bien » et répétez-le plusieurs fois.

Tourner le dos à une mauvaise journée

Après une mauvaise journée, retrouvez le calme et la paix grâce à cet exercice de respiration et de palpation basé sur le *reiki*, une thérapie spirituelle japonaise. Servez-vous-en pour vous sentir de nouveau centré, calme et détendu ou pour chasser les sentiments négatifs.

TECHNIQUE DE RELAXATION DU REIKI

1 *Étendez-vous confortablement sur le dos et fermez les yeux. Soyez attentif à votre respiration, à son rythme, de même qu'à l'entrée et à la sortie de l'air.*

2 *Posez vos mains intuitivement sur une partie de votre corps qui vous semble particulièrement tendue. Cherchez à localiser l'endroit de votre corps qui a le plus besoin de détente.*

3 *Dirigez ensuite votre respiration à cet endroit. Imaginez que vous respirez dans cette partie du corps. Visualisez votre respiration comme « l'énergie vitale universelle » circulant en vous. Imaginez que cette énergie s'accumule et augmente sous vos mains. Remarquez la sensation de détente et de paix qui se répand dans tout votre corps à partir de l'endroit couvert par vos mains.*

4 *Après environ cinq minutes, placez vos mains sur un autre endroit de votre corps et répétez l'étape 3. Vous constaterez peut-être que votre respiration change à cet endroit. Si tel est le cas, prenez-en simplement conscience et continuez.*

5 *Poursuivez en redonnant ainsi de l'énergie à deux autres endroits de votre corps.*

6 *Ouvrez les yeux lentement, étirez-vous et revenez à l'état de conscience normal.*

CHAPITRE HUIT

Du temps juste pour vous

Vous êtes de retour à la maison et vous avez la soirée, peut-être même le week-end, devant vous. Que ferez-vous ? Si vous prévoyez une sortie, ce chapitre vous aidera à vous y préparer. Si vous avez envie d'une idylle, le feng shui peut vous aider à créer le décor idéal pour un repas intime.

Si, par contre, vous restez à la maison, résistez à la tentation de passer la soirée écrasé devant la télé, ce qui n'a rien pour redonner de l'énergie. Profitez plutôt de l'occasion pour explorer les recoins secrets de votre subconscient en laissant libre cours à votre créativité et en abordant vos problèmes de front. Les bienfaits en seront énormes.

· La démarche peut être très agréable. Pas question ici de longues et fastidieuses séances d'introspection mais de moyens divertissants pour permettre à votre subconscient de s'exprimer. La danse peut vous ramener à vos pensées et à vos sentiments les plus profonds. Si vous n'avez jamais touché à la peinture, essayez la thérapie par l'art. L'expression par la peinture peut être à la fois thérapeutique et révélatrice. Il n'est pas nécessaire d'être doué ;

en fait, plus vos talents sont réduits, plus vous obtiendrez des résultats rapidement !

Nul besoin de consacrer la soirée entière ou tout le week-end à ces activités – à moins d'en avoir envie, bien sûr. Certaines d'entre elles peuvent donner des résultats quasi immédiats. Dès la fin de la soirée ou très tôt en fin de semaine, peut-être aurez-vous découvert votre exercice idéal selon la théorie de l'*Ayurvéda* ou réévalué votre régime alimentaire selon les enseignements de la médecine tibétaine.

Utilisez des techniques de création littéraire pour explorer vos émotions et votre vie passée. Qui sait ? Peut-être écrirez-vous ainsi les premières pages d'un roman à succès ou découvrirez-vous la cause lointaine de votre problème de poids. Et cela pour quelques heures de travail !

Souper selon votre humeur

Êtes-vous d'humeur à sortir ou à rester à la maison ? Ce que vous mangerez pourra influer directement sur votre humeur. Si vous sortez, vous aurez besoin de prendre un repas très énergétique qui vous maintiendra en action ; si vous restez chez vous, vous choisirez plutôt des aliments qui vous aideront à relaxer.

LE SOUPER RELAXANT ET CALMANT

Pour décompresser après une journée stressante, choisissez des aliments riches en glucides mais à faible teneur en protéines et en matières grasses, par exemple :
- soupe de haricots blancs (voir à droite),
- salade de verdures (calmante),
- pain de maïs (réduit le stress ; favorise la relaxation).

Si vous avez une fringale avant d'aller au lit, prenez une collation simple qui favorise la détente et le sommeil : une céréale complète avec lait écrémé ou semi-écrémé est un goûter idéal.

POUR UN REGAIN D'ÉNERGIE

Vous sortez ce soir et vous voulez avoir l'esprit éveillé tout au long du film ou avoir de l'énergie pour danser toute la soirée. Optez pour un repas léger ou un casse-croûte hautement énergétique et nutritif : protéines à profusion, peu de matières grasses et juste assez de glucides complexes. Par exemple :
- salade de poitrine de dinde ou salade de poulet tiède (voir à droite) avec légumes feuilles variés, raisins et pignons ; OU
- lentilles à l'oignon, aux tomates et à l'ail servies avec une petite portion de riz complet ; OU
- sauté de fruits de mer (à éviter si vous êtes enceinte) ;
- terminez par des fruits frais, une salade de fruits (voir à droite) ou un *smoothie* aux fruits.

Voir les recettes en annexe, pages 152 et 153.

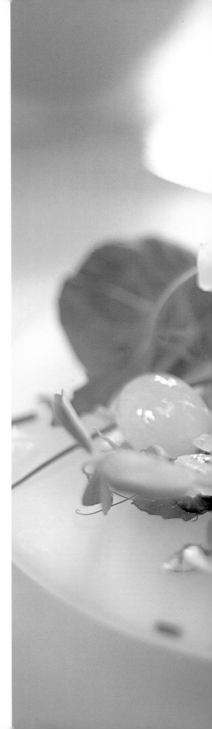

DES METS ADAPTÉS

*La soupe de haricots blancs
(ci-dessus) est un mets relaxant et
calmant. Les haricots et l'ail sont
antidépresseurs, tandis que les
légumineuses, les oignons et les
pommes de terre soulagent
l'anxiété.*

*La salade de poulet tiède (à gauche)
est énergisante à souhait, tout
comme la salade de fruits frais
(ci-dessous).*

Se préparer à aller danser

La danse libère le corps et l'esprit. Une bonne séance de danse peut engager directement vos émotions et toucher vos sentiments les plus profonds, vos pensées les plus secrètes. La *biodanza* est une danse thérapie qui propose des exercices avec musique planifiés pour produire un effet physiologique particulier. Le cours de *biodanza* à la maison proposé ici dégourdit les jambes et donne envie d'aller danser.

COURS DE DANSE À LA MAISON

1 *Marchez autour de la pièce en vous connectant à votre corps. Sentez le contact de vos pieds solidement rattachés au sol ; laissez vos bras se balancer naturellement et gardez la tête haute. Laissez vos mouvements devenir de plus en plus fluides, naturels et dégagés.*

2 *Mettez une pièce musicale ayant une mélodie puissante mais fluide. Dansez comme bon vous semble, mais soyez attentif à la région du cœur et dansez « dans » cette zone.*

3 *Changez la musique : choisissez une pièce plus rythmée et laissez-vous diriger par les mouvements de votre région pelvienne.*

4 *Sur cette musique rythmée, amusez-vous à inventer « votre propre danse ». Oubliez toute idée préconçue sur la façon de danser ; ne pensez pas à exécuter les bons pas ou les bons mouvements. Laissez la musique vous emporter : sautez ou roulez-vous par terre – aucune importance !*

5 *« Donnez » ensuite votre danse à quelqu'un d'autre. Votre partenaire doit s'asseoir sur le sol et « recevoir » la danse que vous exécutez pour elle ou lui. Si vous êtes seul, imaginez que vous dansez pour quelqu'un en particulier et faites comme si cette personne était assise devant vous. Regardez la personne dans les yeux pendant tout l'exercice. Puis, changez de place avec votre partenaire et « recevez » sa danse.*

Une fois que vous avez créé « votre propre danse », essayez de la « donner » à quelqu'un d'autre. C'est très agréable et très enrichissant.

Résoudre vos problèmes

Même si faire de la peinture ou du dessin semble un jeu d'enfant, ce pourrait bien être l'activité la plus bénéfique de votre vie d'adulte. Pas besoin d'être Picasso. Les thérapeutes par l'art vous le diront : le seul fait de tracer des lignes sur le papier peut être un processus révélateur et thérapeutique.

THÉRAPIE PAR L'ART

1 *Regardez vos tubes de couleurs (ou vos crayons, crayons-feutres, etc.). Vers quelle couleur êtes-vous attiré ? Ne réfléchissez pas, suivez simplement votre instinct. Mettez les couleurs sur la palette.*

2 *Prenez un pinceau ou une spatule et commencez à peindre. Vous aurez peut-être envie de peindre une scène précise ou encore de dessiner simplement des taches. Ne vous jugez pas – faites ce qui vient.*

3 *Continuez de peindre et voyez les images qui surgissent. Parfois des formes inattendues peuvent apparaître. À quoi vous font-elles penser ?*

4 *Vous voudrez peut-être vous asseoir et regarder simplement votre œuvre. Que vous dit-elle ? Pouvez-vous y lire vos sentiments ou votre conception de la vie ? Quels thèmes, quelles questions contient-elle ? Même si la réponse est « un gâchis », cela a peut-être une résonance dans votre vie.*

5 *Comment vous sentez-vous dans votre corps après une séance de peinture ? Portez attention à toute douleur, courbature ou sentiment éventuel.*

6 *Essayez de dialoguer avec votre peinture. « Parlez » ou « écrivez » aux images qu'elle contient. Que répondent-elles ?*

7 *Avez-vous envie de faire une autre peinture ? En ce cas, allez-y. Sinon, inscrivez la date sur votre peinture et conservez-la. Regardez-la dans une semaine ou deux : y voyez-vous autre chose ?*

POUR COMMENCER
Si vous hésitez à commencer, vous apprécierez peut-être les suggestions énumérées ci-après.
★ *Servez-vous de votre main non dominante, qui est complètement indépendante du subconscient.*
★ *Essayez de peindre sur fond musical. Mettez de la musique significative pour vous, et voyez ce qui arrive.*
★ *Essayez de peindre les yeux bandés ! Vous pourriez être surpris des résultats.*

Laisser libre cours à votre créativité

L'écriture peut être une bonne méthode de développement personnel, qui peut vous aider à éclairer votre passé et à comprendre votre présent. Écrire sans contrainte peut libérer des flots d'émotions et de créativité et avoir des effets bienfaisants sur votre vie en général.

ENTRER EN CONTACT AVEC VOS ÉMOTIONS

1 *Choisissez l'une des expressions suivantes et complétez la phrase. « Je veux… » ou « Je ne veux pas… » ou « Si je pouvais… » ou « Dans un monde idéal… »*
2 *Écrivez ensuite la même expression de départ, mais terminez la phrase autrement. Continuez ainsi pendant cinq minutes. Ne réfléchissez pas et ne portez pas de jugement : contentez-vous d'écrire ce qui vous passe par l'esprit. La répétition aide à libérer les émotions – vous pourriez faire des découvertes.*

RÉVEILLER VOTRE SUBCONSCIENT

Le jeu des associations d'idées – écrire les premiers mots qui vous viennent à l'esprit et suivre le fil, peu importe où il mène – permet de faire ressurgir les émotions les plus profondes. Résistez à la tentation de réfléchir à ce que vous écrivez. Cela n'a aucune importance si vos écrits semblent ne pas avoir de sens. Si des sentiments personnels, incertains ou difficiles font surface, permettez-vous de les écrire. Vous n'avez pas besoin de montrer votre texte à qui que ce soit.
Il y a diverses façons de commencer. Vous pouvez écrire pendant cinq minutes à partir de l'une des expressions suivantes :
« Je n'oublierai jamais… »
« Ce que j'ai toujours voulu, dans la vie, c'est de… »
« La chose que je détestais le plus était… »
« En toute sincérité… »

EXPLORER VOTRE MÉMOIRE
Cet exercice permet aux émotions parfois pénibles issues de l'enfance de ressurgir en toute sécurité.
★ *Prenez pour sujet un élément de votre passé – un jouet ou un animal favori, une maison ou un endroit marquant.*
★ *Servez-vous d'une photographie comme élément déclencheur pour écrire sur votre passé. À cette époque, qui étaient vos amis ? Où viviez-vous ? Comment vous sentiez-vous ?*
★ *Décrivez un personnage de votre passé. Un parent décédé peut-être ? Un ami d'enfance ? Un ancien professeur ?*

Découvrir votre sport idéal

Découvrez une activité physique que vous aimez pratiquer et vous aurez tiré le gros lot. L'exercice physique est tonifiant non seulement pour le corps mais aussi pour l'esprit. Encore faut-il trouver un sport qui vous plaise vraiment. L'*Ayurvéda*, une ancienne thérapie indienne du corps et de l'esprit, peut vous aider en distinguant trois grands types physiques. Examinez le tableau de la page suivante pour découvrir à quel type ayurvédique vous appartenez.

L'AYURVÉDA ET L'EXERCICE PHYSIQUE

Le tableau ci-dessous vous aidera à déterminer le type ayurvédique auquel vous appartenez : *vata* (air), *pitta* (feu) ou *kapha* (terre). À la ligne des « sports pratiqués spontanément », vous trouverez des exemples de sports vers lesquels vous êtes attiré. Pour équilibrer votre nature, essayez un exercice choisi parmi les « sports à pratiquer pour créer l'équilibre ».

TYPE	VATA	PITTA	KAPHA
DESCRIPTION	*Ossature légère, esprit actif et corps nerveux. Vous parlez beaucoup, posez beaucoup de questions et semblez incapable de rester assis. Vif, léger et agile, vous n'êtes pas très musclé ni très résistant.*	*Fougueux, dynamique, compétitif et communicatif, vous avez tendance à jouer un rôle de leader. Vous êtes habituellement fort, d'ossature moyenne et bien coordonné.*	*Habituellement d'ossature plus lourde que celle des types* vata *ou* pitta, *vous êtes doté de force et d'endurance. Vous bougez et parlez lentement et avez bon caractère.*
SPORTS PRATIQUÉS SPONTANÉMENT	*Course (longue et courte distances), toutes les disciplines d'athlétisme sur piste (ex. : haies, saut en longueur, saut en hauteur, relais).*	*Plus un sport est compétitif, plus il vous attire (ex. : tennis, squash).*	*Sports exigeant de l'endurance et de la force. Vous aimez les sports d'équipe et vous excellez lorsque vous êtes motivé par les autres.*
SPORTS À PRATIQUER POUR CRÉER L'ÉQUILIBRE	*Tout ce qui peut apaiser ou calmer votre tempérament nerveux. Danse aérobique ou jogging modéré, marche, randonnée pédestre, cyclisme et natation.*	*Tout ce qui n'est pas trop compétitif. Cyclisme, natation, ski ou golf, mais aussi yoga, taï chi et Qi Gong.*	*Vous devez accélérer et vous animer. Les sports rapides exigeant de l'endurance sont donc excellents pour vous : tennis, aviron, course ou danse aérobique intense.*

Équilibrer votre alimentation grâce à la médecine tibétaine

La médecine tibétaine distingue trois « humeurs » : l'air, la bile et le phlegme, chacun de nous ayant une prédisposition pour l'une d'entre elles (voir le tableau de la page suivante). L'air commande la respiration, la parole et l'activité musculaire, ainsi que le système nerveux, les processus de la pensée et l'attitude affective. La bile régit la température corporelle, le foie et le système digestif, tandis que le phlegme règle la quantité de mucus contenue dans le corps et régit le système immunitaire.

S'il diagnostique un déséquilibre des humeurs, le médecin tibétain étudiera votre pouls. Un praticien habile peut reconnaître jusqu'à 95 % des maladies connues uniquement en prenant le pouls du malade ; certains peuvent même prédire l'espérance de vie d'une personne à son pouls. Le médecin tibétain exige habituellement un échantillon d'urine pour confirmer un diagnostic ; il en analyse la couleur, l'odeur, la sédimentation et la persistance des bulles. La forme, la couleur et l'enduit de la langue sont également importants.

Le médecin tibétain pose ensuite beaucoup de questions concernant le style de vie en général, les activités et le régime alimentaire du patient et recommande habituellement des modifications à ces trois éléments selon le déséquilibre des humeurs qu'il a constaté. Le régime alimentaire est d'une importance particulière car tous les aliments influent sur les humeurs à divers degrés et peuvent entraîner ou exagérer une dominance plus ou moins grande de l'air, de la bile ou du phlegme. Le médecin tibétain conseille également les patients sur la quantité de nourriture à prendre, ainsi que sur l'heure et la fréquence des repas. Vous découvrirez dans le tableau (ci-contre) quels aliments vous conviennent le mieux.

QUEL EST VOTRE TYPE TIBÉTAIN ?

Déterminez de quel type vous êtes en comparant les symptômes que vous avez tendance à avoir avec l'une des humeurs ci-dessous. Au lever, recueillez votre urine dans un pot transparent. Vérifiez-en l'apparence pour confirmer de quel type vous êtes (l'analyse d'urine est un outil de diagnostic tibétain classique). Adoptez ensuite le régime alimentaire susceptible de vous apporter l'équilibre.

HUMEUR	AIR	BILE	PHLEGME
SYMPTÔMES	*Stress, insomnie, constipation, maux de dos, peau sèche. Étourdissements, frissons, soupirs, douleurs aux hanches et aux omoplates, acouphènes. Esprit fébrile.*	*Souffre de la chaleur ; transpire. Soif excessive, goût amer dans la bouche et douleurs dans le haut du corps. Tendance à la fièvre, à la diarrhée et aux vomissements. Alerte et joyeux au réveil mais irritable dès le milieu de la journée.*	*Léthargique, indigestions ou gaz stomacaux fréquents ; estomac distendu ; pieds froids. Trouve difficile de perdre du poids. Tendance à dormir trop long-temps ; adore faire la sieste à l'occasion.*
URINE	*Aqueuse, quasi transparente*	*Jaune ou brunâtre*	*Très pâle et mousseuse*
RÉGIME D'ÉQUILIBRATION	*Évitez les aliments froids (ex. : salades et crème glacée) ou accompagnez-les d'une boisson chaude (ex. : thé au gingembre). Privilégiez le poulet, les bouillons de viande, le fromage, l'oignon, la carotte, l'ail et les épices, les épinards et autres légumes feuilles.*	*Aliments légers et froids, comme les salades et le yogourt, ainsi que de l'eau en grande quantité. Évitez les aliments très chauds ou épicés, les noix, l'alcool et la viande rouge.*	*Pour réchauffer la digestion : gingembre (sauf au début de la grossesse), carda-mome, muscade (modérément). Également : menthe (à éviter pendant l'allaitement). Rédui-sez la consommation de fruits riches en sucre si vous devez perdre du poids. Évitez les produits laitiers.*

Pour inspirer l'amour

Il faut plus que des bons petits plats et un éclairage à la chandelle pour composer une table romantique. Faites appel aux subtils pouvoirs du *feng shui*.

UNE TABLE POUR SOUPER INTIME

1 *Choisissez une table ronde en bois de dimensions moyennes, qui dégage une impression d'intimité.*
2 *Étendez-y une nappe lilas ou mauve en tissu recherché, comme le velours ou la soie.*
3 *Assoyez-vous à angle droit avec votre partenaire pour faciliter la conversation.*
4 *L'éclairage à la chandelle est essentiel. Choisissez une chandelle ne mesurant pas plus de 3 po (8 cm) pour éviter de créer une barrière. Placez-la sur un petit miroir décoratif.*
5 *Placez des fleurs coupées à l'autre bout de la table pour qu'elles ne soient pas entre vous. Choisissez un vase lilas ou mauve et des fleurs douces, romantiques et parfumées. Évitez les grandes fleurs rigides ayant des feuilles ou des pétales en pointe.*
6 *Un seau à champagne (champagne compris!) contribue également à l'ambiance. Les flûtes en cristal captent la flamme de la chandelle et dispensent une énergie bénéfique.*
7 *Voyez à ce que les cinq éléments traditionnels de la philosophie chinoise soient présents sur la table: carafe de vin ou d'eau (eau), couverts (métal), chandelles ou éclairage vertical (feu), table (bois) et verres (terre). Leur présence combinée favorise l'équilibre.*
8 *Une musique de fond peut être agréable, à condition qu'elle convienne bien et ne nuise pas à la conversation. Musique classique légère et jazz sont habituellement appréciés.*
9 *L'éclairage doit être diffus mais équilibré: vous voulez voir ce que vous mangez sans baigner dans une lumière crue.*

Trouver la paix intérieure

Rien ne vaut le yoga pour se détendre à la fin de la journée.
En effet, le yoga favorise le développement du corps et de
l'esprit ; il apaise l'âme et équilibre l'énergie. Prenez cinq
minutes pour relaxer grâce à ces gracieux exercices et vous
serez bien disposé pour la soirée, peu importe ce que vous
déciderez de faire.

10 *Refaites ensuite ces
étapes en sens inverse, soit
de 8 à 1. En terminant,
joignez les paumes devant
la poitrine pour saluer.*

1 *Prenez la posture de
base du* Qi Gong *(voir
page 16).*

9 *Inspirez doucement et
allongez-vous sur le sol,
face contre terre. Puis
redressez les bras en
poussant le haut du corps
vers l'arrière.*

8 *Expirez doucement et abaissez les
bras et le torse vers l'avant, en
descendant lentement les fesses de façon
à vous asseoir sur les mollets. Inclinez-
vous vers l'avant jusqu'à ce que votre
tête touche le sol.*

3 *Expirez doucement en ramenant lentement les bras vers l'avant. En gardant les jambes droites, inclinez le torse vers l'avant et touchez le sol avec les paumes.*

2 *Inspirez doucement et levez les bras au-dessus de la tête en inclinant doucement le haut du corps ainsi que la tête aussi loin que possible vers l'arrière.*

4 *Inspirez doucement, pliez les genoux et abaissez lentement les fesses en position semi-accroupie, mains au sol. Expirez.*

7 *Inspirez doucement et ramenez le genou droit au sol à côté du genou gauche en position de repos. À genoux, levez les bras au-dessus de la tête et inclinez doucement le corps aussi loin que possible vers l'arrière.*

5 *Inspirez doucement. Allongez la jambe gauche derrière vous, le genou touchant le sol. Levez les bras au-dessus de la tête et inclinez le haut du corps vers l'arrière.*

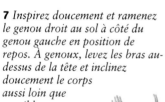

6 *Expirez doucement en ramenant les paumes jusqu'au sol, et allongez le corps vers l'avant aussi loin que possible.*

127

CHAPITRE NEUF

La fin de la journée

La journée tire à sa fin. C'est le moment où vous voulez ralentir doucement le rythme, au fur et à mesure que vous approchez des frontières du sommeil. C'est l'heure de la réflexion, du bilan, de l'énergie douce. Transformez ce moment en un rituel bien à vous.

Tout d'abord, prenez le temps de transformer votre chambre en un havre de paix et de tranquillité, en une bulle enveloppante. Cette pièce doit devenir l'endroit privilégié où vous retirer et apaiser les tensions de la journée : un refuge, un lieu de régénération, de sensualité et de rêves.

Laissez-vous aller avec bonheur à ce ralentissement vers les bienfaits de la nuit. Ne vous contentez pas de vous brosser les dents avant de filer sous la couette : offrez-vous le luxe d'un bon bain spécialement destiné à vous inspirer de beaux rêves ou à vaincre un rhume.

Vous vous sentez apathique et avez besoin de vous désintoxiquer ? Faites appel aux vertus de l'eau et à la puissance de l'hydrothérapie pour débarrasser votre corps des toxines accumulées pendant la journée.

Installez-vous et profitez d'un massage sensuel complet avec votre partenaire ou faites-vous réciproquement un bienfaisant massage de pieds selon la technique de la réflexologie.

Les soucis de la journée sont-ils encore visibles sur votre visage ? Offrez-vous un massage facial rajeunissant – véritable lifting naturel. Si vous avez envie d'intimité à deux, apprenez à ajouter de l'éclat à vos ébats sexuels grâce à un rituel tantrique ancien des plus stimulants.

Si vous êtes encore survolté après une journée agitée, certaines techniques peuvent vous préparer au sommeil et vous éviter l'insomnie. Si vous êtes tendu, des moyens d'abaisser la tension en cinq minutes vous transformeront corps et âme. Enfin, si vous approchez du sommeil, apprenez à rêver davantage et à faire en sorte que vos rêves vous apportent la paix et la sagesse.

Bonne nuit, bons rêves.

Bien dormir – la chambre « bulle »

Transformez votre chambre en une « bulle » de calme et de sérénité et vous vous surprendrez à dormir plus profondément et à vous éveiller rajeuni et plein d'énergie. En suivant quelques règles simples tirées du *feng shui*, ancien art chinois de l'aménagement de l'espace, il vous sera plus facile de relaxer après une dure journée de travail.

LE FENG SHUI DE LA CHAMBRE À COUCHER

■ Éliminez – une fois pour toutes – tout ce qui encombre votre chambre. Selon les psychologues, votre esprit sera incapable de se détendre si votre environnement est encombré. Inconsciemment, vous vous inquiéterez du désordre et de ce que vous devriez faire pour y remédier.

■ Évitez autant que possible de travailler dans votre chambre. Si vous ne pouvez faire autrement, placez votre bureau ou votre coin de travail derrière un paravent, de façon à éliminer tout rappel du travail lorsque vous êtes couché.

■ Videz vos armoires et penderies régulièrement et donnez les vêtements que vous ne portez pas ou dont vous ne voulez pas à une œuvre de bienfaisance ou à une friperie.

■ Placez votre lit de manière à voir la porte – idéalement, dans l'angle diamétralement opposé. Évitez de placer la tête du lit devant une fenêtre ou une porte.

■ Choisissez des meubles (tables et chaises) aux formes douces et arrondies ; évitez les angles aigus ou saillants.

■ Évitez les grands miroirs. Choisissez de petits miroirs, ronds ou ovales de préférence. Évitez de placer un miroir en face du lit, ce qui peut provoquer de l'insomnie ou des mauvais rêves.

■ Choisissez les couleurs avec discernement : le rose et le rouge pour l'amour, le bleu tendre pour la relaxation. Les coussins et les chandelles peuvent être rose vif et rouges, mais évitez absolument les couleurs sombres et intenses.

> **LIVRES ET DÉCORATIONS**
> *Laissez les livres et étagères de livres hors de la chambre, leur influence étant une distraction pour l'esprit. Limitez les décorations – quelques éléments bien choisis valent mieux que toute une collection qui embarrasse la chambre et retient la poussière.*

Votre espace de bien-être

N'oubliez pas que votre chambre doit être un lieu de repos et de détente.

■ Empilez des coussins somptueux et des oreillers de luxe sur le lit (bourrez-les de lavande et de géranium pour favoriser le sommeil).

■ Installez un éclairage doux et tamisé. Évitez la lumière crue des plafonniers ; préférez-lui l'éclairage diffus d'une lampe de chevet ou d'une applique murale. Les chandelles, particulière-ment celles qui contiennent des huiles essentielles pures (et non des parfums synthétiques) sont idéales pour dispenser de délicieuses odeurs : la lavande ou la camomille favorisera la détente et le sommeil. L'ilang-ilang et le santal prépareront la chambre à la rencontre amoureuse. Éteignez bien les chandelles avant de vous endormir.

■ Les fleurs fraîches donnent un cachet unique à la chambre. Dans les jardinières des fenêtres, plantez des espèces parfu-mées comme la lavande et la camomille, et vous ferez des rêves bienfaisants tout l'été. Remplissez des vases de fleurs parfumées au charme suranné : roses, jacinthes, lys, pois de senteur. Confectionnez de petits bouquets d'herbes odorantes qui éloignent également les insectes.

■ Procurez-vous un brûleur d'huile essentielle et parfumez votre chambre selon vos préférences – essayez, entre autres, l'ilang-ilang, le santal, la lavande, le géranium. Jetez quelques gouttes de lavande sur un mouchoir de papier que vous met-trez tout près de votre oreiller. L'ilang-ilang doit être utilisé avec modération, sinon il peut causer des maux de tête et des nausées, et la lavande est à éviter pendant les premiers mois de la grossesse.

■ Harmonisez la lumière et l'ombre. Le matin, il est très agréable d'inonder la pièce de lumière, mais le soir, vous avez besoin d'obscurité pour bien dormir. Vous pouvez changer l'atmosphère selon les saisons en changeant les rideaux : velours et plaids réconfortants en hiver, voiles légers et toiles bien fraîches en été.

Créer un espace sûr

Votre chambre doit être une bulle à l'abri du monde: un endroit sûr, sans danger, où vous pouvez vous retirer loin des tracas de la journée. Cependant, divers problèmes de santé – des maux de tête aux allergies, de la perte de mémoire à la dépression – peuvent être causés par des ennemis invisibles présents dans votre chambre.

PROTÉGER VOTRE LIT

Les produits utilisés pour traiter les draps et les matériaux des lits peuvent dégager des composés volatils susceptibles de provoquer allergies, insomnie, fatigue, toux, irruptions cutanées, maux de tête et irritation de la gorge et des yeux.

■ Choisissez de préférence un lit en fer ou en bois massif non traité. Les antiquités sont sûres également, car le formaldéhyde est en grande partie volatilisé après 10 ans. Cependant, des indices laissent croire qu'un lit de fer pourrait activer les champs électriques présents dans la chambre.

■ Utilisez des draps en percale non blanchie ou en coton « biologique » en été, en finette en hiver. Si votre budget le permet, offrez-vous des draps en lin naturel.

■ Pensez à vous procurer un matelas tout coton non ignifugé. Les futons sont aussi des produits sûrs. Choisissez des oreillers à bourre de coton.

■ Si vous réagissez aux acariens, procurez-vous un matelas et des enveloppes d'oreillers hypoallergéniques.

CHAMPS ÉLECTROMAGNÉTIQUES: À PROSCRIRE!

Les champs électromagnétiques sont produits par l'électricité et sont émis par tous les appareils fonctionnant à l'électricité. Ils sont mis en cause dans un grand nombre de problèmes de santé, des maux de tête aux nausées, en passant par les tumeurs au cerveau et le cancer du sein.

■ Si vous le pouvez, laissez tous les appareils électriques hors de la chambre, particulièrement le téléviseur et l'ordinateur. Sinon, assurez-vous qu'ils soient le plus loin possible du lit,

Particulièrement nocifs dans les matelas et les enveloppes d'oreillers ordinaires, les effets des acariens peuvent être réduits de beaucoup par l'utilisation de housses spécialement conçues à cet effet.

car les champs électromagnétiques sont beaucoup plus faibles à partir de 3 pi (1 m) de distance.
■ Ne vous endormez pas devant la télévision allumée. Débranchez-la en plus de l'éteindre.
■ Troquez votre réveil électrique contre un modèle à piles ou un ancien modèle mécanique.
■ Une couverture électrique peut vous exposer à un champ électromagnétique pendant la nuit. Débranchez la vôtre avant de dormir, ou mieux, réchauffez votre lit avec des bouillottes.

ATTENTION AU STRESS GÉOPATHIQUE

Des courants souterrains profonds, d'importants dépôts de minéraux ou des failles géologiques dans le substrat de la planète créent des champs énergétiques anormaux. Ces champs produisent des « zones malsaines » dans nos maisons et nos lieux de travail, où ils interfèrent avec notre énergie personnelle, nous faisant connaître des tensions.

Il est de plus en plus démontré que ce stress géopathique peut engendrer divers désordres dans nos vies : divorces, cauchemars, cancers. Les personnes atteintes de stress géopathique, sont toujours fatiguées et facilement irritables. Malaises et douleurs semblent ne jamais devoir disparaître. Si vous croyez souffrir de ce problème :

Qui aurait cru qu'un sèche-cheveux pouvait réduire les effets du stress géopathique ?

■ disposez des carreaux de liège sous votre lit pendant quelques semaines. Lorsque vous commencez à aller mieux, essayez un autre emplacement pour votre lit ;
■ mettez un séchoir à cheveux en marche et passez-le sur tout votre corps, en mettant le côté de l'appareil en contact avec vous. Cette technique peut aider à réduire les effets du stress géopathique, mais elle ne doit pas être considérée comme préventive. Appliquez-la une fois par semaine.

Massage avec un partenaire

Le massage est purement et simplement la meilleure façon de relaxer vraiment et de lâcher prise après la journée, de vous concentrer sur vos sens et de prendre conscience des réactions de votre corps. Suivez votre instinct, et vérifiez toujours auprès de votre partenaire les effets bienfaisants du massage.

RELAXER ENSEMBLE

1 *Allumez des chandelles et mettez de la musique de détente. Faites brûler des huiles essentielles relaxantes (lavande ou camomille) ou romantiques (santal ou ilang-ilang) dans un brûleur. Attention: évitez la lavande au début de la grossesse et la camomille si vous êtes enceinte de moins de quatre mois. En trop grande quantité, l'ilang-ilang peut provoquer des maux de tête et des nausées.*

2 *Mettez 8 gouttes de votre huile essentielle dans 3 à 4 c. à thé (15 à 20 ml) d'une huile de base (amandes douces ou huile de soja).*

3 *Massez votre partenaire en conservant un rythme lent et régulier et en appliquant juste assez de pression.*

4 *Commencez par le dos, en plaçant vos pouces de chaque côté de la colonne vertébrale, les doigts en direction du cou. Laissez vos mains glisser lentement vers le haut du dos et autour des épaules. Ramenez vos mains délicatement le long des côtés du dos jusqu'à la position de départ.*

5 *Passez aux épaules, aux bras, puis aux jambes. Pétrissez délicatement les parties charnues, comme les hanches et les cuisses: soulevez, pincez et roulez la peau entre le pouce et les doigts d'une main et glissez-la vers l'autre main.*

6 *Incurvez vos doigts sans fermer complètement les poings. Avec les doigts, appliquez des pressions sur tout le corps.*

7 *Tracez de petits cercles avec vos pouces sur les épaules, les paumes, la plante des pieds et la poitrine.*

8 *Mettez vos mains en coupe et exécutez une série de mouvements légers et rapides comme pour jouer du tambour.*

9 *Terminez le massage par des mouvements frappés lents et doux.*

ATTENTION
Ne faites pas de massage à quelqu'un qui souffre:
★ *d'une maladie contagieuse ou de fièvre;*
★ *d'une infection cutanée, de contusions graves ou d'inflammation;*
★ *de mal de dos;*
★ *d'une phlébite ou d'une thrombose;*
★ *de problèmes de diabète, d'épilepsie, d'hypertension ou d'hypotension artérielle ou d'autres problèmes cardiaques;*
★ *de varices – bien qu'on puisse masser le reste du corps;*
★ *ni à une femme enceinte de moins de quatre mois.*

Améliorer les effets du massage par l'utilisation d'huiles essentielles relaxantes.

Quel bien-être !

Rien n'est tout à fait aussi relaxant qu'un massage de pieds
en douceur. Si vous y ajoutez les vertus de la réflexologie,
vous aurez la recette de la parfaite routine de détente.
Demandez à votre partenaire de vous faire ce massage
réflexologique ou adaptez-le de façon à vous l'administrer
vous-même. Utilisez l'huile de sésame qui, suivant l'enseigne-
ment *ayurvédique*, est très apaisante le soir. Si vous êtes
allergique au sésame, essayez l'huile de coco.

> **ATTENTION**
> ★ *Chez les femmes enceintes,
> le massage de pieds ne doit être
> fait qu'avec la plus grande déli-
> catesse, en omettant l'étape 6.*
> ★ *Seul un réflexologiste che-
> vronné devrait appliquer un
> massage réflexologique à une
> femme enceinte.*

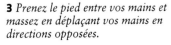

UN BON MASSAGE DE PIEDS
1 *Réchauffez légèrement un peu d'huile de
sésame non rôti dans un petit bol placé dans un
contenant d'eau chaude. Massez le pied droit
d'abord. Versez un peu d'huile dans le creux de
la main et faites-la pénétrer dans le pied en
l'étendant par des mouvements larges et en
massant doucement.*

2 *Travaillez ensuite le pied plus
en détail, par petits mouvements
circulaires exécutés avec le gras
du pouce. Couvrez ainsi la
plante du pied (fermement si la
personne est chatouilleuse),
ainsi que le talon et la cheville.*

3 *Prenez le pied entre vos mains et
massez en déplaçant vos mains en
directions opposées.*

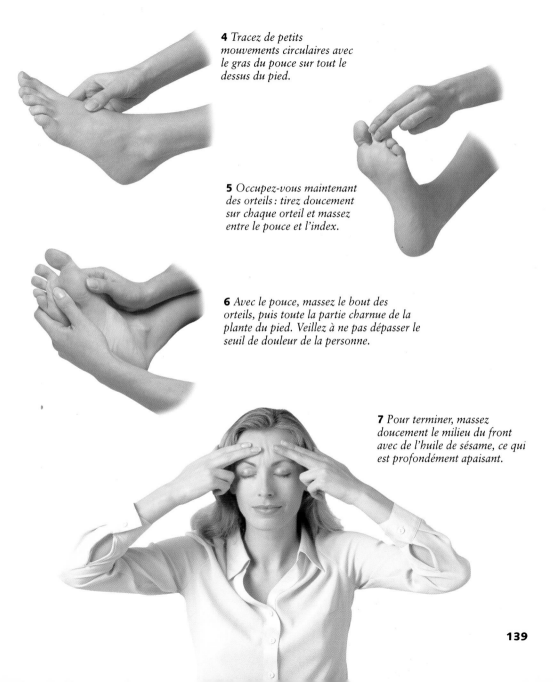

4 *Tracez de petits mouvements circulaires avec le gras du pouce sur tout le dessus du pied.*

5 *Occupez-vous maintenant des orteils : tirez doucement sur chaque orteil et massez entre le pouce et l'index.*

6 *Avec le pouce, massez le bout des orteils, puis toute la partie charnue de la plante du pied. Veillez à ne pas dépasser le seuil de douleur de la personne.*

7 *Pour terminer, massez doucement le milieu du front avec de l'huile de sésame, ce qui est profondément apaisant.*

139

Dormir profondément

Si vous vous sentez un peu à plat ou si vous couvez un rhume, essayez le bain au sel d'Epsom. Celui-ci est tout indiqué juste avant le coucher en raison de son effet profondément relaxant. Le bain aux infusions et aux huiles essentielles décrit ci-dessous est un excellent moyen de décompresser après une dure journée afin de profiter d'un sommeil réparateur peuplé de rêves.

> **ATTENTION**
> *Évitez les bains au sel d'Epsom si vous avez un problème cardiaque, si vous souffrez de diabète ou si vous vous sentez faible ou fatigué.*

BAIN AU SEL D'EPSOM

1 *Faites-vous couler un bain chaud et faites-y dissoudre environ 1 lb (450 g) de sel d'Epsom. Entrez-y et détendez-vous aussi longtemps que possible, tout en buvant une tasse de menthe chaude qui augmentera la transpiration et remplacera les liquides perdus. Si vous allaitez, prenez plutôt du thym.*

2 *Attention en sortant, car vous pourriez vous sentir légèrement étourdi. Ne vous frictionnez pas pour vous sécher. Enveloppez-vous plutôt de plusieurs grandes serviettes et couchez-vous ainsi. N'oubliez pas de vous envelopper chaudement les pieds.*

3 *Au réveil, sortez de vos serviettes et frictionnez-vous sous l'eau chaude avec une éponge. Puis séchez-vous complètement en vous frottant avec vigueur.*

BONS RÊVES !

1 *Faites bouillir pendant 20 minutes 3 c. à table (45 ml) de chacune des herbes médicinales suivantes dans 12 tasses (3 ℓ) d'eau : camomille, bourgeons de tilleul, primevère, verveine et aspérule.*

2 *Pendant ce temps, préparez la salle de bains. Allumez des chandelles. Mettez de la musique douce et relaxante (sur un appareil à pile, non branché à une prise). Faites brûler de la lavande dans un diffuseur.*

3 *L'eau doit être à une température agréable – ni trop chaude ni trop froide. Tamisez la décoction dans une mousseline et versez dans l'eau du bain. Ajoutez quatre gouttes d'huile essentielle de lavande ou de camomille.*

4 *Entrez dans le bain. Placez une serviette derrière votre tête. Fermez doucement les yeux et imaginez que vous êtes étendu dans un bassin magique – que vous pouvez situer aussi bien au milieu de la forêt que sur une plage de rêve ou dans un somptueux temple.*

5 *Visualisez l'action de l'eau qui dissout toutes les tensions et les contraintes de la journée et élimine tous les refus et les doutes qui vous hantent. Voyez-les fondre simplement et disparaître.*

6 *Restez étendu et savourez la sensation de parfaite détente qui vous habite. Si vous le désirez, vous pouvez refermer la mousseline, l'attacher et vous en servir comme d'un gant de toilette aux herbes.*

DÉSINTOXIQUER VOTRE SYSTÈME

L'eau est un merveilleux guérisseur – et un puissant agent de désintoxication du corps, particulièrement lorsqu'elle est chaude. Chaque fois que vous êtes à plat ou léthargique, essayez cette technique d'enveloppement qui fait sortir les déchets toxiques de votre corps par la sudation.

Enveloppement corporel dépuratif

Les enveloppements corporels ont pour effet de faire transpirer – comme le sauna ou le bain de vapeur – pour favoriser l'élimination des toxines.

1 *Imbibez un drap de coton d'eau froide. Essorez-le ensuite juste assez pour qu'il reste froid au contact de la peau sans dégoutter.*

2 *Recouvrez votre lit (ou un canapé) d'une grande feuille de plastique. Étendez-y le drap humide.*

3 *Ôtez vos vêtements et étendez-vous sur le drap. Demandez à un ami ou à votre partenaire de préparer trois bouillottes et d'en placer une près de votre poitrine, une à côté de votre abdomen et une près de vos pieds. Demandez-lui ensuite de replier le drap de manière qu'il vous enveloppe entièrement, ne laissant dépasser que la tête.*

4 *Cela peut paraître rébarbatif, mais relaxez et transpirez pendant trois bonnes heures. Après 10 ou 15 minutes, vous transpirerez probablement beaucoup. Ne soyez pas surpris, ensuite, si vous vous endormez. Malgré toute cette humidité, à la fin du traitement, le drap sera presque sec – et probablement jauni par les toxines.*

Paraître jeune

Le massage qui suit tonifie les muscles délicats de votre visage et agit tel un lifting naturel. Faites-vous ce traitement tous les soirs et voyez la différence.

MASSAGE RAJEUNISSANT

1 *Mettez 5 à 10 gouttes d'huile dans vos mains et appliquez sur tout le visage. Prenez de l'huile d'amandes (toutes les peaux), de l'huile d'olive (peaux très sèches) ou de l'huile de jojoba (peaux sensibles et peaux grasses).*

2 *Mettez une petite quantité d'exfoliant facial (2 c. à thé / 10 ml combles d'avoine moulue et 2 c. à thé / 10 ml de crème à 35 %) dans le creux de votre main et appliquez délicatement sur le visage, le cou et les oreilles avec le bout charnu des doigts. Rincez à l'eau tiède.*

3 *Polissez la peau d'un mouvement circulaire glissé du bout des doigts. Commencez par le cou, continuez en suivant la mâchoire, les joues, les oreilles, la partie arrière des oreilles, le tour du nez, le front et les tempes. Rincez à l'eau tiède.*

4 *En vous servant du majeur (sauf indication contraire), massez dans le sens des aiguilles d'une montre pendant 30 secondes chacun des points suivants : le milieu du menton, les commissures des lèvres, jusqu'au point situé entre le nez et le centre de la lèvre supérieure.*

5 *Au centre des pommettes, massez d'un mouvement ascendant. Appuyez doucement sur les os des orbites des yeux au-dessus des pommettes – en vous servant de l'index et sans masser.*

6 *Avec les pouces, faites des pressions ascendantes sur le bord interne des sourcils. Pincez le long de chaque sourcil de l'intérieur vers l'extérieur.*

7 *Massez doucement les tempes.*

8 *Étendez une petite quantité de gel d'aloès sur votre visage. Pour terminer, appliquez votre hydratant personnel.*

À bas le rhume et la grippe !

Au premier signe de rhume et de grippe, immergez-vous sans hésiter dans ce bain aux propriétés thérapeutiques. Il devrait vous aider à en stopper la progression.

BAIN CONTRE LA GRIPPE

1 *Préparez votre propre huile: ajoutez deux gouttes d'huile essentielle de lavande, de bergamote et de théier à 4 c. à thé (20 ml) d'une huile de base (amandes douces, jojoba ou avocat) ou de lait entier. Ajoutez ce mélange à un bain chaud et dispersez bien. Attention: évitez la lavande au début de la grossesse et la bergamote si vous avez la peau sensible.*
2 *Immergez-vous et relaxez pendant au moins 20 minutes.*

> **NOTE**
> *Certaines personnes trouvent les huiles essentielles irritantes pour la peau. Essayez votre mélange d'huiles sur un poignet avant de vous y plonger.*

Éveiller votre sensualité

Besoin d'aide pour vous prédisposer à une nuit de passion ? Éveillez votre ardeur par ces techniques aphrodisiaques qui consistent à appliquer des pressions à certains points de shiatsu.

SOULEVER LA PASSION

1 *Commencez par un massage général du dos (voir pages 136-137). Si vous le désirez, utilisez un mélange pour massage sensuel : ajoutez 4 gouttes d'huile d'ilang-ilang ou de santal à 1 c. à thé (5 ml) d'huile de noyau de pêche ou d'amandes douces.*

2 *Concentrez-vous ensuite sur les points de shiatsu situés à la base de la colonne vertébrale. En appliquant une pression à la fois douce et ferme avec les pouces, remontez le long de la colonne, depuis le haut des fesses jusqu'à la hauteur de la partie supérieure de la hanche. N'appliquez pas trop de pression sur la colonne. Appuyez fermement et maintenez la pression pendant environ sept secondes, relâchez et attendez pendant cinq secondes. Répétez.*

3 *Retournez ensuite votre partenaire. Si c'est un homme, massez fermement avec les doigts et les pouces autour du haut des cuisses, de l'aine et de l'os du bassin. Cette région est riche en points de shiatsu ; vous ne pouvez donc pas vous tromper totalement ! Si votre partenaire est une femme, appliquez une pression au point directement au-dessus de l'os pubien (relié au point G à l'intérieur du vagin). Portez ensuite attention à la série de points alignés de chaque côté du sternum (les points du cœur).*

Pour stimuler la sensualité chez un homme, vous devez vous concentrer sur les points de shiatsu situés autour du haut des cuisses.

Vers des sommets de volupté

Le très ancien art indien du tantra professe l'union avec Dieu par l'union sexuelle. Le tantra fait intervenir la visualisation, la respiration, la méditation et la sexualité appliquée. Fondé sur la cérémonie tantrique appelée *maïthuna*, le rituel qui suit peut donner très vite des résultats d'une étonnante intensité.

LE MAÏTHUNA TANTRIQUE

1 *Préparez votre chambre avec soin : draps propres et couvre-lit en satin ou en soie exotique ; musique douce, fleurs fraîches ; faites brûler des huiles essentielles aphrodisiaques telles que l'ilang-ilang et le santal ; allumez des chandelles rouges.*

2 *Sur un plateau, préparez un goûter exotique léger et du vin (ne prenez pas trop d'alcool, cependant).*

3 *Prenez un bain et parez-vous de vêtements légers et fluides.*

4 *Prenez le temps de savourer la présence de l'autre, de converser, de manger et de boire ensemble. Échangez des caresses et des regards intenses.*

5 *Pour éveiller le désir avant la relation sexuelle, l'homme doit méditer sur l'image de la vulve, ou* yoni, *la femme, sur celle du pénis, ou* lingam *(voir encadré).*

6 *L'homme pénètre ensuite la femme profondément et fermement, dans n'importe quelle position. Pendant quelque temps, limitez-vous à bouger lentement, la femme exerçant des contractions répétées, et l'homme, des poussées modérées.*

7 *Arrêtez ensuite tout mouvement et regardez-vous intensément dans les yeux. Imaginez-vous liés par vos chakras, particulièrement ceux des organes génitaux. Imaginez votre région génitale entourée d'une sphère de vibrations lumineuses rouge vif.*

8 *Synchronisez votre respiration avec celle de votre partenaire : respirez lentement et profondément en direction de sa bouche.*

9 *Imaginez que l'énergie générée depuis vos organes génitaux remonte le long de la colonne vertébrale et envahit tout votre corps. Demeurez ainsi aussi longtemps que possible, ne serait-ce que quelques minutes.*

MÉDITATION ÉROTIQUE

★ *Hommes : imaginez le yoni chaud, accueillant, humide et doux, s'ouvrant et se fermant comme une fleur. Concentrez-vous sur le parfum suave du musc et imaginez le son sourd des battements du cœur, le rythme lent de la terre, la pulsation de la vie.*

★ *Femmes : visualisez le lingam en érection, imaginez mentalement ses différentes textures. L'odeur à imaginer est le patchouli. Le son est celui d'une pulsation plus rapide et plus insistante.*

Apaiser l'insomnie

Il n'y a rien de pire que de se tourner d'un côté et de l'autre
sans pouvoir couper le contact et trouver le sommeil.
La plupart du temps, l'insomnie est causée par la tension qui
s'est accumulée dans votre esprit et votre corps pendant la
journée et qui est toujours présente au moment de vous
endormir. La technique de relaxation progressive décrite ici
fait disparaître les problèmes et vous permet de sombrer dans
un sommeil paisible.

RELAXATION PROGRESSIVE

1 *Assoyez-vous dans votre lit et pensez à ce qui vous tracasse.
Écrivez la liste de vos préoccupations et promettez-vous d'y
voir dès le lendemain. Pour l'instant, vous ne pouvez rien
faire de plus.*

*Si vous êtes incapable de vous
endormir, l'esprit encombré de mille
pensées, prenez une ou deux gouttes
d'élixir de marronnier blanc, une
des « fleurs du Dr Bach ».*

2 *Si vous êtes encore dérangé par des tourbillons de pensées, prenez une ou deux gouttes d'élixir floral de marronnier blanc du Dr Bach.*

3 *Répandez quelques gouttes d'huile de lavande sur un mouchoir ordinaire ou de papier et mettez-le sous votre tête. ATTENTION : évitez d'utiliser la lavande au début de la grossesse.*

4 *Étendez-vous confortablement. Soyez attentif à votre respiration, mais sans essayer de la modifier. Fermez doucement les yeux.*

5 *Prenez conscience des tensions qui se sont logées sur votre visage. Contractez ensuite fortement tous les muscles de votre visage pendant une ou deux secondes. Puis, relâchez-les complètement.*

6 *Passez maintenant au cou. Contractez, relâchez. Continuez ainsi en descendant vers les épaules et le haut des bras ; la poitrine et le dos ; les avant-bras et les mains. Poursuivez en descendant de l'abdomen aux fesses, aux cuisses, aux mollets et aux pieds.*

7 *Si vous vous sentez encore tendu, répétez l'exercice jusqu'à ce que vous soyez détendu.*

8 *Soyez maintenant attentif à votre corps étendu sur le lit. Sentez le contact de votre corps avec la terre. Laissez toute tension résiduelle s'écouler hors de vous et pénétrer dans la terre.*

9 *Si cette technique ne fonctionne pas pour vous, essayez d'imaginer que vous êtes étendu sous la chaleur et la lumière d'un magnifique soleil (voir encadré, à droite).*

10 *Rendez grâce pour votre corps et les merveilles qu'il accomplit et promettez-vous de prendre le temps de lui fournir de bons aliments, de l'exercice et de la détente.*

11 *Laissez-vous dériver doucement vers un sommeil profond et paisible.*

IMAGINER LE SOLEIL
Sentez la chaleur du soleil pénétrer doucement par tous les pores de votre peau. Sentez sa douce lumière vous traverser subtilement comme de l'or liquide. Imaginez que la puissance thérapeutique du soleil vous nettoie et vous inonde de lumière. Savourez la sensation d'être soutenu par la terre et caressé par le soleil.

Ordonner votre vie psychique

Les rêves peuvent être un passeport vers un renouveau créatif, une façon nouvelle de régler les problèmes et les relations difficiles, un moyen de réaliser vos désirs les plus chers et d'essayer de comprendre vos peurs les plus profondes.

VOUS SOUVENIR DE VOS RÊVES

Il n'existe pas de méthode unique et infaillible pour se souvenir de ses rêves. Cependant, certaines techniques semblent être utiles.

■ Au réveil, vous pouvez rester étendu sans bouger dans votre position de sommeil le temps de vous souvenir de votre rêve.

■ Essayez de vous raconter votre rêve ou de le raconter à quelqu'un d'autre au moment du réveil.

■ Gardez un « cahier de rêve » ou un journal personnel près de votre lit, où vous pouvez écrire dès que vous ouvrez l'œil. Le fait de recopier et de relire ces récits peut vous aider à les comprendre. Si vous préférez, dessinez une scène illustrant votre rêve.

■ Parfois, un simple rituel avant de dormir, comme de passer 10 minutes à fixer une chandelle ou le fond d'un verre d'eau, brûler des herbes aromatiques ou danser sur une musique que vous aimez peut aider à vous faire entrer dans le monde des rêves.

EXPLORER LES RÊVES, PARLER À VOS RÊVES

Essayez de « parler à vos rêves ». Prenez deux chaises ou deux coussins. Assoyez-vous sur l'un d'eux et imaginez qu'un personnage ou un animal sorti de votre rêve occupe l'autre. Essayez de parler à ce personnage ou à cet animal, de lui poser des questions. Changez ensuite de siège et parlez comme si vous étiez le rêve qui répond. Dites ce qui vous vient à l'esprit, sans vous censurer ni vous sentir mal à l'aise. En donnant une voix aux personnages de votre rêve et en les laissant se décrire, vous les rappelez plus facilement à votre conscience. Vous pourriez être surpris de ce qui en sortira.

Peignez ou dessinez vos rêves. Jetez un coup d'œil aux techniques de la thérapie par l'art (page 118) pour trouver des idées sur la façon de libérer votre imagination. Si vous avez fait un cauchemar horrible, vous trouverez peut-être plus sûr d'encadrer votre illustration d'une large bordure.

L'image peinte peut reproduire fidèlement les éléments de votre rêve ou plutôt exprimer par la couleur et les formes le climat de celui-ci. Ne demandez pas à d'autres personnes d'« interpréter » votre peinture, mais vous pouvez en discuter avec quelqu'un d'autre. Demandez à votre interlocuteur ce qu'il y remarque.

Servez-vous de la visualisation. Si un rêve se termine sur une note incertaine et troublante, essayez de le poursuivre à l'état de veille. Détendez-vous et prenez quelques bonnes grandes respirations, puis imaginez-vous de nouveau dans votre rêve. Que pourrait-il arriver ?

Parler à un animal ou à un personnage sorti de l'un de vos rêves peut donner des résultats surprenants. Essayez de lui demander qui il est, ce qu'il représente, quel message il veut vous transmettre. Ou encore, assoyez-vous simplement, observez et écoutez; il aura certainement des renseignements importants à vous communiquer.

Recettes

Rendement : 4 portions
Smoothies : 2 portions

POISSON SAUTÉ

Faire sauter des darnes
d'espadon de 6 oz (170 g)
dans 1 c. à table (15 ml)
d'huile d'olive. Retourner
une fois et badigeonner
d'huile d'olive. Cuire
pendant environ 4 minutes
de chaque côté. En même
temps, cuire sous le gril à
feu maximum des grappes
de tomates-cerises.

Pendant ce temps, mettre
1 c. à table d'huile d'olive
dans une autre poêle à frire
et y saisir à feu vif des
tranches d'échalote, une
branche de céleri coupée en
tranches et d'autres légumes
verts au goût. Déposer
chaque darne sur une
portion de légumes sautés.

Couronner d'une grappe
de tomates-cerises et
parsemer de poivre noir et
de feuilles de basilic hachées
grossièrement.

Le saumon ou le thon
feront également l'affaire.

SMOOTHIES

Fouetter les ingrédients au
mélangeur à grande vitesse
avec quelques glaçons
jusqu'à consistance lisse et
crémeuse.

TORNADE ESTIVALE

90 g de mûres, de bleuets et
de fraises (chacun)
90 g de lait de soja à la
vanille, cannelle et miel
sauvage au goût (facultatif)

SURPRISE AUX CAROTTES

$^1/_4$ ℓ de jus de carotte et de
jus d'orange (chacun)
180 g d'ananas (en
morceaux ou broyé)
180 g de melon haché
(melon miel, brodé ou
galia)

DÉLICE TROPICAL

1 grosse banane hachée
2 kiwis pelés et hachés
grossièrement
$^1/_2$ grosse mangue, pelée et
hachée
$^1/_2$ grosse papaye, pelée et
hachée
$^1/_4$ ℓ de jus d'orange
fraîchement pressée

GRUAU

Le gruau est le plus simple
des petits déjeuners. Dans
une casserole, mettre 45 g
de flocons d'avoine et
400 ml d'eau froide par
personne.

Porter à ébullition et
laisser mijoter de 4 à
5 minutes en brassant
constamment. Ajouter une
poignée de raisins secs si
vous le désirez.

Servir dans un bol en
ajoutant, au goût, des noix,
des graines, des tranches de
banane ou d'autres fruits.
Si vous avez quand même
besoin d'un édulcorant,
ajouter un peu de sirop
d'érable ou de miel. Ajouter
du lait de soja au goût.

HARICOTS AU FOUR

Placer 225 g de haricots
secs trempés dans une
casserole avec 850 ml
d'eau. Porter à ébullition et
laisser bouillir vigoureusement pendant 10 minutes.
Écumer avec soin.

Verser dans un plat
allant au four. Ajouter
2 feuilles de laurier, 170 ml
de mélasse et une bonne
quantité de poivre noir.

Couvrir hermétiquement
et cuire lentement au four
(environ 140 °C ou 275 °F),
pendant 8 heures (éviter de
laisser évaporer
complètement – vérifier de
temps à autre).

Ajouter 5 c. à table de
purée de tomate, 6 tomates
pelées et hachées et 1 branche de céleri hachée. Cuire
2 heures additionnelles. Ils
seront encore meilleurs si
vous les laissez cuire toute
la nuit !

CARI DE LÉGUMES

Moudre ensemble 1 c. à thé de poudre de cari, 2,5 cm de racine de gingembre fraîche, 2 gousses d'ail et 1 petit oignon.

Hacher 3 poireaux, 1 petit chou blanc, 225 g de haricots verts, 2 carottes, une poignée de petit pois, quelques bouquets de chou-fleur et tout autre légume que vous avez sous la main.

Faire sauter les ingrédients moulus dans 2 c. à thé d'huile d'olive et ajouter 250 ml de lait de coco (pour un cari à faible teneur en matières grasses, remplacer l'huile d'olive et le lait de coco par du bouillon). Porter à ébullition, ajouter les poireaux et les autres légumes.

Cuire à feu vif pendant 10 minutes et ajouter du liquide (eau chaude ou bouillon) au besoin. Cuire au goût (légumes croquants ou non).

Servir avec du riz et garnir de coriandre fraîche et d'amandes rôties.

SAUTÉ DE FRUITS DE MER

Hacher 1 poivron rouge, 6 échalotes, 1 gousse d'ail, 180 g de petits champignons de Paris et faire sauter dans 1 c. à thé d'huile de sésame rôti.

En même temps, mettre un gros paquet de nouilles de sarrasin dans l'eau bouillante et retirer du feu (elles seront prêtes dans environ 4 minutes).

Ajouter de la sauce soja ou de la sauce de poisson (au goût) aux légumes sautés, plus 1 c. à table d'eau. Ajouter 900 g de moules en coquilles, plus 570 g de crevettes décortiquées (et tout autre fruit de mer, au goût).

Brasser constamment jusqu'à ce que les moules s'ouvrent (jeter celles qui ne s'ouvrent pas). Égoutter les nouilles. Quand toutes les moules sont ouvertes, mélanger le sauté et les nouilles et servir.

SOUPE DE HARICOTS BLANCS

Faire revenir 1 oignon moyen dans un peu d'huile d'olive pendant quelques minutes jusqu'à ce qu'il soit tendre.

Ajouter 1 grosse gousse d'ail (hachée), 2 boîtes de haricots blancs, 2 pommes de terre hachées et 2 poireaux coupés en tranches. Brasser et ajouter 850 ml de bouillon de poulet ou de légumes.

Porter à ébullition et laisser mijoter jusqu'à ce que les pommes de terres soient tendres. Passer la moitié de la soupe au mélangeur et remettre dans la casserole. Ajouter en brassant 1 c. à table de persil et de ciboulette. Réchauffer à feu doux pendant 3 minutes et servir.

SALADE DE POULET TIÈDE

Faire mariner (pendant 1 heure ou plus) quatre filets de poitrine de poulet de 170 g chacun dans 1 c. à table d'huile de sésame rôti, 1 c. à table de jus de citron fraîchement pressé, 1 c. à thé de moutarde en poudre et 2 c. à thé de miel, plus un tour de moulin à poivre. Faire cuire au four à feu modéré jusqu'à ce qu'ils soient bien cuits mais encore tendres.

Pendant ce temps, préparer une salade avec des verdures mélangées (y compris de la roquette dans la mesure du possible), des raisins verts (sans pépins ou épépinés), des pignons, de la ciboulette, du céleri et de l'échalote.

Déposer le poulet chaud sur la salade et servir avec une vinaigrette composée de jus de citron, vinaigre de vin blanc, 1 c. à thé de sauce soja, poivre noir concassé et ail pilé.

Ressources

Pour en apprendre davantage au sujet des thérapies et des techniques présentées dans ce livre, on peut communiquer avec les organismes suivants.

DIÉTOTHÉRAPIE

Ordre professionnel des diététistes du Québec
1425, boul. René-Lévesque Ouest
Montréal (Québec)
514-393-3733

GESTION DU STRESS

Corporation professionnelle des psychologues
1575, boul. Henri-Bourassa Ouest
Montréal (Québec)
450-337-3360

GESTION DU TEMPS

Institut du Temps
365, rue Guilbault
Longueuil (Québec)
450-844-4224
(télécopieur : 450-651-6435)

HOMÉOPATHIE

Collège d'homéopathie du Québec
1322, rue Beauvais
Saint-Laurent (Québec)
514-956-0002

HYPNOTHÉRAPIE

Association des hypnologues du Québec (1977)
1167, rue Saint-Marc
Montréal (Québec)
514-939-3780

MASSAGE

Association des massothérapeutes professionnels du Québec inc.
805-2, boul. Saint-Michel
Montréal (Québec)
514-727-5444
9170, rue Lacordaire
Saint-Léonard (Québec)
514-321-7696

Corporation des massothérapeutes et autres praticiens praticiennes en approches corporelles inc.
C.P. 47087, Sillery (Québec)
1-888-650-3550

MUSICOTHÉRAPIE

Association québécoise de musicothérapie
5225, rue Saint-Denis
Montréal (Québec)
514-274-1629

NATUROPATHIE

Ordre des naturothérapeutes du Québec inc.
319, rue Saint-Zotique Est
Montréal (Québec)
514-279-6641

Association nationale des naturothérapeutes
1167, rue Saint-Marc
Montréal (Québec)
514-939-1457

Collège canadien des naturopathes
1801, rue Sherbrooke Est
Montréal (Québec)
514-528-5300

Académie des naturopathes et
naturothérapeutes
Bromont (Québec)
450-534-5304

Corporation des praticiens en
médecines douces du Québec
5110, rue Perron
Pierrefonds (Québec)
514-634-0898

Collège des médecines douces du
Québec
9823, boul. Saint-Laurent
Montréal (Québec)
514-990-5229

Corporation des intervenants en
médecine alternative
1647, rue Adjutor
Rock Forest (Québec)
819-564-3944

Association des kinothérapeutes du
Québec
580, boul. Curé-Labelle
Sainte-Rose (Québec)
450-990-9942

ONIROTHÉRAPIE
Corporation professionnelle des
psychologues
1575, boul. Henri-Bourassa Ouest
Montréal (Québec)
514-337-3360

PHYTOTHÉRAPIE
Association des herboristes de la
province de Québec
70, 7ᵉ Avenue Ouest
Blainville (Québec)
450-435-2979

SHIATSU
Voir massage

TECHNIQUE ALEXANDER
Société canadienne des professeurs
de la technique Alexander
465, Wilson Avenue
Toronto, Ontario
1-877-598-8879
(télécopieur : 416-631-0094)

LA THÉRAPIE PAR L'ART
Association des art-thérapeutes du
Québec inc.
5764, boul. Monkland
Montréal (Québec)
514-990-5415

TIMIDITÉ
Voir Gestion du stress

YOGA
Sahaja Yoga
Montréal : 514-637-2435
Trois-Rivières : 819-371-7611
Estrie : 819-868-1939

Yoga Canada
819-322-3226

Centre de yoga Sivananda
514-279-3545

Kevala Yoga – Namaste Institute
514-383-1781

Lectures complémentaires

GÉNÉRALITÉS

Brunel, Henri, *Guide de relaxation pour ceux qui n'ont pas le temps*, Seuil, 1996

Guide de la bonne santé : 1001 questions réponses pour être en forme, Sélection du Reader's Digest (Canada), 1994

Staehlé, Jacques, *En santé par les médecines douces*, de Mortagne, 1983

ACUPRESSURE

Wagner, Franz, *L'Acupression digitale*, Vigot, 2000

AFFIRMATION

Schuller, Éric, *L'Affirmation de soi au féminin*, E.S.F., 1996

Schuller, Éric, *S'affirmer au quotidien*, éd. de l'Homme, 1998

AROMATHÉRAPIE

Dessureault, Jean, *L'Aromathérapie : la santé par les plantes*, Edimag, 1996

Lucheroni, M.-T. et F. Padrani, *Les Huiles essentielles*, De Vecchi, 1997

AYURVÉDA

Morrison, Judith H., *Le Livre de l'Ayurvéda : le guide personnel du bien-être*, Le Courrier du livre, 1995

ÉLIXIRS FLORAUX DU DOCTEUR BACH

Guastalla, E., *Le Grand Livre des fleurs du docteur Bach : 38 remèdes pour guérir d'une façon naturelle*, De Vecchi, 1996

Wildwood, C., *Vivre au féminin avec les remèdes de fleurs*, Le Courrier du livre, 1995

CHROMOTHÉRAPIE

Gimbel, Theo, *Couleurs et lumière, sources de santé et de bien-être*, Le Courrier du livre, 1994

Nobis, Jean-Claude, *Chromothérapie*, Librairie de l'inconnu, 1996

DÉSINTOXICATION

Hart, Alicia, *Désintoxiquez votre organisme naturellement*, Québécor, 2000

DIÉTOTHÉRAPIE

Bruckert, Ingeborg, *Santé et saveurs pour la bonne humeur*, Chantecler, 2000

Frappier Renée, *Le Guide de l'alimentation saine et naturelle*, Asclépiade, 1990

FENG SHUI

Hale, Gill, *Le Grand Livre du feng shui*, Sélection Champagne, 1999

Lagatree, Kirsten M, *Le feng-chouei des bureaux*, Librairie de Médicis, 1999

GESTION DU STRESS

Elkin, Allen, *Gérer son stress pour les nuls*, Sybex, 2000

GESTION DU TEMPS

Servan-Schreiber, Jean-Louis, *Contre le stress, le nouvel art du temps*, Albin Michel, 2000

HOMÉOPATHIE

Dannheisser, Ilana, et Penny Edwards, *Homéopathie : guide illustré du bien-être*, Könemann, 1998

Horvilleur, Alain, *Le Grand Livre de l'homéopathie*, Les créations du pélican, 1996

HYDROTHÉRAPIE

Guillain, France, *Les bains dérivatifs : un moyen de santé simple, efficace et gratuit*, Jouvence, 1995

HYPNOTHÉRAPIE

Kerforne, Philippe, *Hypnose et autohypnose : initiation à une pratique au quotidien*, Dangles, 1994

Tordjman, Gilbert, *Le plaisir retrouvé par l'hypnose*, M. Lafon, 1995

JIN SHIN JYUTSU

Burmeister, A., *Practical Jin Shin Jyutsu*, Thorsons, 1998

MAISON SAINE

Schmitz-Günther, Thomas (sous la direction de), *Éco-logis, la maison à vivre*, Könemann, 1999

MASSAGE

Wu, Ding Huan, *Les Massages de la médecine traditionnelle chinoise*, éd. du Rouergue, 1997

MÉDITATION

Kabat-Zinn, Jon, *Où tu vas, tu es*, J.-C. Lattès, 1996
Ruben, Leonard, *La Méditation à la portée de tous*, Québécor, 1999

MUSICOTHÉRAPIE

Campbell, Don G., *L'Effet Mozart : les bienfaits de la musique sur le corps et l'esprit*, éd. le Jour, 1998

NATUROPATHIE

Se soigner au naturel, Sélection du Reader's Digest (Canada), 2000

ONIROTHÉRAPIE

Chaput, Mario, *Le Sommeil tranquille*, Fleurs sociales, 1998
Garfield, Patricia L., *Guérir par les rêves : les interpréter pour se soigner*, Albin Michel, 1994

PHYTOTHÉRAPIE

Encyclopédie des plantes médicinales, Larousse, 1997
Debuigne, Gérard, *Dictionnaire des plantes qui guérissent*, Larousse, 1997

PNL

Gagnon, Gilbert, *Au cœur de l'identité : nouvelles applications de la PNL*, Louise Courteau éditrice, 1996
Saint-Paul, Josiane de, *L'Esprit de la magie : la programmation neuro-linguistique*, InterEditions, 1999

POLARITÉ

Guay, Michelle, *La thérapie de la polarité*, de Mortagne, 1990

QI GONG

Carnie, L.V., *Qi gong*, éd. de l'Homme, 1998
Réquéna, Y., *À la découverte du Qi gong*, G. Trédaniel, 1995

RÉFLEXOLOGIE

Crane, Beryl, *Réflexologie, Guide illustré du bien-être*, Könemann, 1999

REIKI

Dufour, Élizabeth, *Reiki, mystères et accomplissements*, Québécor, 1999
Tarozzi, Giancarlo, *Reiki : énergie et guérison*, Amrita, 1992

RESPIRATION

Verdilhac, Monique de, *Se libérer par le souffle : pour retrouver son harmonie intérieure*, Albin Michel, 1994

SHIATSU

Namikoshi, Toru, *Le Livre complet de la thérapie shiatsu*, G. Trédaniel, 1997

TANTRA

Lorand, Christine, et Dominique Vincent, *Le Couple sur la voie tantrique*, A.L.T.E.S.S., 1997

TECHNIQUE ALEXANDER

Stransky, Judith, et Dr Robert B. Stone, *Bien dans sa peau grâce à la technique Alexander*, éd. le Jour, 1983

TIMIDITÉ

Dumont, Éric, *Timides : un peu, beaucoup, plus du tout*, A. Carrière, 1994

VISUALISATION

Gawain, Shakti, *Techniques de visualisation créatrice*, Vivez soleil, 1991

YOGA

Pratap, Vijayendra, *Yoga facile pour tous les jours*, Vivez soleil, 1999

Index